POLARIS

Dàin is Òrain Innseachan an Taibh

POLARIS

Marcas Mac an Tuairneir

LEAMINGTON BOOKS

Polaris

Dàin is Òrain Innseachan an Taibh

Poems and Songs of the Atlantic Archipelago

Marcas Mac an Tuairneir

Leamington Books
Edinburgh

Deasaiche Gàidhlig: Gillebride Mac 'IlleMhaoil
Eagarthóir Gaeilge: Ben Ó Ceallaigh
English Editor: Ambrose Kelly

ISBN 9781914090301
Published by Leamington Books
32 Leamington Terrace
Edinburgh, Scotland

Set in Book Antiqua
Design by Cavan Convery

Chuidich Comhairle nan Leabhraichean am foillsichear le cosgaisean an leabhair seo.

Contents

An Iar-nua-aimsir

Am meata-aimsir

Ro-ràdh

le Cathy NicDhòmhnaill

An dèidh dà bhliadhna a bha marbhanta gu cruthachail is gu sòisealta, nach math gu bheil solas a' tighinn an cois iomairtean leithid Bliadhna nan Sgeulachdan, mar a tha 2022 air a comharrachadh. Mar neach-naidheachd tha mise a' faighinn sàsachaidh tro sgeulachdan dhaoin' eile, agus tha e mar dhleastanas orm a bhith a' lìbhrigeadh nan cunntasan acasan, nach fhaigh an èisteachd air a bheil iad airidh.

Ach 's ann a tha mo bheathachadh fhèin 's a' tighinn bhuapasan a tha coimhead ris an t-saoghal agus an t-àite th' againn ann, tro shealladh eile – a' cur sgàthan soilleir mu choinneamh ana-cheartais, a' cleachdadh ìom-haighean gus fìrinneachdan fhoillseachadh, ge bith dè cho oillteil iad sin, agus far a bheil an fhìrinn sin a-mhàin leothasan a tha ga h-innse.

Cha mhòr nach deach mo bhàthadh le bàrdachd Ghàidhlig m' òige, gus an do dh'fhosgail doras na h-uamha anns an robh ulaidhean phrìseil nua-bhàrdachd nan seachdadan. MacAmhlaigh, Mac a' Ghobhainn, MacThòmais is MacGill-Eain, a' labhairt mu nithean brìghmhor ann an cainnt a bha a' bruidhinn ri linn ùr.

Tha Marcas a' labhairt mu nithean air a bheil tuigs' is eòlas aige - aon mhionaid a' seinnsearachd nar cluais, 's an uairsin ag èirigh làidir os ar cionn mar mhac-talla air iteig, a' cur dhachaigh oirnn ar n-iomadh dearbh-aithne. Mar ghobha ann an ceàrdaich a' mhic-meanmna, tha e a' cruthachadh 's a cur cumadh air briathrachas, ag agairt chòirichean is tuigse dhaibhsan a chaidh a chur fo na casan, bhon choimhearsnachd LGDTC+ gu iadsan a dh'fhàg eachdraidh air an iomall.

Anns a' chruinneachadh as ùire aige, *Polaris*, tha e a' leantainn a rionnag-iùil, a' treabhadh eachdraidh nan eileanan anns a bheil sinn a' tàmh, agus a dearbhadh mar a tha an eachdraidh sin a' fàgail a làraich oirnn, agus gar tarraing còmhla. Bho Ghonduàna is Labhraintia nan còig muillean bliadhn' air ais, tha a' stad an siud 's an seo gu ruige an saoghal ùr anns a bheil sinn beò, a' bragail air doras ar dualchais chaillte, a' saoradh nan taibhsean – seann sgeulachdan air an deach dearmad mosach a dhèanamh

Tha e dèanamh luaidh orrasan a rinn imeachd agus mu na h-ulaidhean a thug iad nan cois mar dhìleab – bho Naomh ColmCille a thug gibht Chrìostaidheachd leis à Èirinn, agus a' togail cheistean mu cò às dha-rìreabh a thàinig a' Ghàidhlig – air bàta bhon Iar mar a dh'innsear dhuinn? Tha e a' cur solas air iomadachd anns gach cruth, agus a' guidhe oirnn a bhith a' dèanamh gàirdeachais anns na tha gar ceangal mar dhaoine.

Tha àite aig laoich ar n-eachdraidh timcheall a' bhùird aige – gach aon nan riochdaire – Màiri nigh'n Alasdair Ruaidh na suaicheantas dha fheimineachas na seachdamh linn' deug, ri taobh, ach ceud bliadhna roimhpe, agus a' dearbhadh na h-aon bheachdan, Màiri Banrigh na h-Albainn, a chaidh a mhùchadh mar a th' air fhoillseachadh gu cumhachdach san dàn 'Seachd is Leth-cheud Leòn'.

'Thig gal a' chaoinidh air a' ghaoith' - drùidhteach is cumhachdach is lom dìreach mar a bha An Gorta Mòr an Èirinn. Le bròn is ùmhlachd, tha e a' greimeachadh air bràiste cuimhne Chùl Lodair, san dàn eireachdail 'Fo Phràmh'. Tha e a' caoidh iadsan a chaidh an sgiùrsadh às an dachaighean gu tìrean cèin, ach air an làimh' eile, mar gum b' ann tro sgàthan, tha e a' cur fàilte air ginealach Windrush, a thàinig chun nan cladaichean againne, a' sireadh caladh seasgair, le làn an dùirn dhen dualchas phrìseil aca fhèin, 's gun mhòran eile.

Tha an dàn 'Ann an Tasglann Sgoil Eòlas na h-Alba' a' dùsgadh mo chuimhneachain fhèin air làithean geala an Oilthigh Dhùn Èideann, mar gum bithinn air a thighinn tarsainn air tobar, tha e ga cheasnachadh an tàinig e gus rudeigin a shireadh, gu h-àraid. 'Cha tàinig an diugh' a chanas Marcas, a dìreach airson 'a bhith còmhla ris na h-òrain'. Sin far a bheil sinn dha-rìribh an seo, a' coiseachd ann an coille chùbhraidh nan òran. Ghabh Marcas cuairt gu tuath, a' leantainn An Reul-iùil, gu litireil is gu samhlachail, is nach sinne fhuair an tìodhlac ri linn .

Cathy NicDhòmhnaill

Foreword

by Cathy MacDonald

Two years of creative and social stasis has left many of us searching for enlightenment and enrichment and whether by default or design, 2022 has been signposted Scotland's Year of Stories. As a journalist and broadcaster my daily nourishment comes from the accounts and experiences of others, and my obligation is to tell their stories, where they cannot.

My healing balm on the other hand, comes from the reflections of those who view the world and our place in it, through a different lens, where injustices are pinned up in our metaphorical town squares for all to see, where imagery replaces terrifying truths, and where truth becomes individual and bespoke.

My early experience of Gaelic poetry was saved from drowning, by the swathe of work that filtered through my fifth year at school in the late seventies – by four of our major bards, principally because they spoke of things I knew.

Marcas speaks of what he knows, through soaring emotion and conspiratorial confession, allowing us to consider our multiple identities. He moulds and shapes words in the forge of his imagination, promoting tolerance and understanding of the historically marginalised - from the LGBTQ+ community to the displaced and forgotten, the overlooked and the cast aside.

In his latest and extensive collection, *Polaris*, he has found his lodestar, ploughing through the history of these islands we share, and revealing how that history is what shapes us, and unites us. From Gondwana and Laurentia of over 500 million years ago he takes us through different staging posts to our post-Covid world, pounding on the door of our lost heritage and releasing ghosts from the past - age-old tales that have been overlooked and dismissed.

He speaks of the movement of people and the treasures they yield, from St. Columba who brought Christianity with him from Ireland but addressing and questioning accepted facts, such as the origins of the Gaelic language, casting doubt on whether that too was an import from the West. He explores diversity in all its forms - physical, emotional and temporal, and exhorts us to celebrate all that connects us as people.

Fearlessly overturning the tables of conventional Gaelic literature, he marks our history and our heroes. Mary MacLeod (Màiri nigh'n Alasdair Ruaidh) becomes a totem for seventeenth-century feminism, a hundred years earlier, we are reminded that Mary Queen of Scots, another feminist who was silenced by the state, as recorded in the powerful and tragic 'Fifty-seven Wounds'.

'Thig gal a' chaoinidh air a' ghaoith' laments the destruction of An Gorta Mòr in one powerful opening line, and he clasps Culloden's reverential status to his breast in the beautiful 'Fo Phràmh'. He grieves for the dispossessed scattered from their homelands cleared for sheep, and almost in mirror-like fashion, celebrates the Windrush generation of immigrants who sailed to these shores, bringing with them an abundance of culture, enriching our world.

'Ann an Tasglann Sgoil Eolas na h-Alba' (in memory of Hamish Henderson), evokes memories of my own time at Edinburgh University, and the resonance of the lines asking 'if I am come in search of something / in particular', is like a silent rebuke. Marcas' response – 'Not today' – because 'I only seek to be among the songs'. We are truly among the songs in this wonderful carousel collection. It is perhaps no coincidence that Marcas' path took him true north, and it is certainly our privilege and literary gain.

Cathy MacDonald

Do mo sheann-phàrantan –
ceithir comharran m' iùlaige

To my grandparents -
the four points of my compass

Chan eil tuil air nach tig traoghadh

Gnàthas-cainnt Gàidhealach

Tír gan teanga, tír gan anam

Gnàthas-cainnt Èireannach

Ta'n eariih troggal seose,
ta'n uinneg sollys ayns an twoaie

Gnàthas-cainnt Manannach

Nerth gwylad, eir gwybodaeth

Gnàthas-cainnt Cuimreach

The nation which forgets its past
has no future

Winston Churchill

A-mach à Avalonia

Bu sibh ìghnean briseadh Iapatuis,
a h-uisgeachan a' sùghadh ri
cladaichean nam mòr-thìrean,

Ur bun an Gonduàna,
ur bàrr, glèidhte fhathast le Labhraintia,
's mi a' leughadh dheth, ar leam
an e turchartas no an dàn a thug sibh
còmhla –

Dà chriomag talmhainn,
an coimeas farsaingeachd mill-fhearainn,
na ceud mìle bliadhna
giorraichte an earann ro mo shùil.

Nur sgàilean fhathast air rùsg na cruinne,
traoghadh nan tonn, gur cairteadh
ro cho-bhualadh cinn is coise.

A' dèanamh air crios-mheadhan an t-saoghail,
air thoiseach teannachadh a' chuain,
le brag is brùthainn, dh'èirich
bràigheachan ur cnàmha-dhroma,
far an do dh'fhan sibh,
nur n-ùr-iomlaine:
ri crùbadh sìos ann an caidir Phangaea.

Às dèidh feuchainn an uachdair
rinn sibh ath-thùrn as ùr,
gus cruth a chumail ribh

Mus tàinig ciad shruth an Taibh,
mar chaochan oirbh,
agus dh'èirich sibh, deiseil,
gus ciad bhoinneagan na dìle
fhaireachdainn air ur bathaisean,
mar dhithis pheathraichean:

Ériu agus Pritaní.

Out of Avalonia

Daughters of the breach of Iapetus,
the waters lapping against
the banks of the super-continents,

Your base in Gondwana,
your crest, clasped in Laurentia,
and from what I read of it, I wonder
if it was coincidence or destiny
that brought you
together -

Two specks of terrain,
in the grand scheme of landmass,
your hundred thousand years
abbreviated to a paragraph before my eyes.

Spectres on the Earth's crust, still –
the ebbing of the waves, cleansing you
before the collision of top and toe.

Making for the equator,
before the tightening of the ocean,
with a crash in the sultry compression, rose
the braes of your spinal columns,
where you waited,
in your new completeness:
crouched in the embrace of Pangaea.

After testing the surface
you dived one more,
to mould yourselves

Before the first flow of the Atlantic came
upon you,
and resurrecting, ready,
you felt the first drops of the deluge
on your foreheads.
like two sisters,

Ériu and Pritaní.

O chionn 520 millean bliadhna, bha a' mhòr-chuid as aithne dhuinn de mheall-fearainn Na Talmhainn eadar dà shàr-thìr Gonduàna is Labhraintia, air an sgaradh le 7,00 km de chuan. Bha nas aithne dhuinn mar Èirinn is Breatainn Mhòr nan laighe eadarra. Bha nas aithne dhuinn mar cheann a tuath na h-Alba ann an Labhraintia is an ceann a Deas ann an Gonduàna

520 million years ago, much of what we now know as Earth's landmass consisted of two super-continents, Gondwana and Laurentia, separated by a 7,000 km ocean. What is now Ireland and Great Britain lay between them. What is now the north of Scotland lay on Laurentia with now-southern regions on Gondwana.

An Tràth-aimsir

Pre-modernity

Fògarraich Môn

Às dèidh Anne Thériault

Chruinnichte iad an coilltean Môn,
chùm draoidhean fògarraich bho ghon
a theich bho sgainneart,
is iad dhiùlt fhòirneart,
son suigeart
còisir lon –

Ach, nuair a chualadh caismeachd
le dlùthachadh bagairt an fheachd,
thogadh làmhan naomh
's an canntaireachd chaomh
measg nan craobh,
làn draoidheachd.

Tha an dàn seo air a sgrìobhadh ann an cruth traidiseanta Cuimreach air a bheil Clogynarch. Gus a bhith a' cnuasachadh eachdraidh cholonach nan eilean seo, feumaidh sinn dol air ais gu Buaidh nan Ròmanach, a rinn ciad fhògarraich de na daoine tùsail Ceilteach ann.

Refugees of Môn

After Anne Thériault

Gathered in the groves of Môn,
the druids kept refugees from harm
after fleeing from persecution,
and abandoning violence,
for jovial
blackbirdsong –

But, when the marching was heard,
the menace of the legion approaching,
they raised sacred hands,
and gentle orations,
amongst the trees
replete with enchantment.

The original Gaelic poem is written in a traditional Welsh form, known as a Clogynarch. Whilst the translation tries to evoke aspects of the original, it is given here simply as a gloss. If we are to commence a post-colonial re-reading of the history of these islands, we must begin with the Roman Conquest, which made first refugees of Britannia's indigenous Celtic peoples.

Slighe na Gearra

I thank you, Andraste, and call upon you as woman speaking to woman... I beg you for victory and preservation of liberty.

- Faclan air an cur às leth do Bhuaidhich,
Banrigh nan Iceni, le Cassius Dio

Shèideadh a fola le gluasad
a carbaid, fo a h-ùr-ghreasad,
ghèill i dha nùidheadh, a h-aire drùidheadh,
's Camulodunum ghlèidh a dùiread.

B' fhada o bha i sgìth de dheasbad,
diùlte a dìleab 's i fo dhuilchead,
dheàrrs aiteal air a torc, fighte le òr -
samhla a banrìoghachd ma bràghad.

Air colonachd bheireadh i cràlad,
gus a tìr a thilleadh dha bòidhchead,
ach mus do thòisich i seàrr leig i geàrr,
is na slighe thomhais i a spèiread.

Fo ghaillean oglaidh, sin, san duibhead,
leig i gairm de dh'fhiadhaichead -
às dèidh ùrnaigh catha dha ban-dia,
fa stiùir, lean a cuideachd na cruinnead.

Tha an dàn seo air a sgrìobhadh ann an cruth traidiseanta Cuimreach air a bheil Gwawdodyn. Na Banrigh Ceilteach den na h-Iceni, tha Buaidheach - no Boudica - na samhla a-nis de Bhreatainn Mhòir.

Path of the Hare

I thank you, Andraste, and call upon you as woman speaking to woman... I beg you for victory and preservation of liberty.

- Words attributed to Boudicca,
Queen of the Iceni, by Cassius Dio

Her gown was blown by the motion of her chariot,
as she sped up, once more,
succumbing to its impetus, her gaze
fixated upon Camulodunum.

Long since she had tired of debate,
her bequest rejected, and she dejected,
with a sunbeam shining on her golden torc -
the symbol of her queendom, round her neck.

She'd bring torment on colonisation,
return her land to its splendour,
but before the slaughter she set free a hare,
and in its path she gauged her strength.

Under a fickle tempest, there, in the darkness,
she wailed the rage of her battle cry -
after an incantation to her war goddess,
her people gathered under her leadership.

The original Gaelic poem is written in a traditional Welsh form, known as a Gwawdodyn. Whilst the translation tries to evoke aspects of the original, it is given here simply as a gloss. Boudica - or Buddug in Welsh - was the Celtic Queen of the Iceni. She has now become an icon, or totem perhaps, for the island of Great Britain.

In Eboraco Habitabat

Soror Ave Vivas in Deo

Air
barraid sice,
chuireadh luasg
air a laighe, b' e gilead
a fail ìbhri ri caol a dùirn,
a cnàmhan, thilg gathan-grèine
air tràth-nòin fionnar na mìl-aois' ùir.
Sgaoilte
samhlaidhean
a beairteis uimpe -
grìogagan finice, aigeallain
cluaise is sgàthan glainne nach
Nochdadh
sult a gnùis a
chaoidh is sin air
chall le crìonadh a feòla.
Ach,
fhad 's a
chruinnicheadh
criomagan maothran
fhiaclan, le tomhas aogas a
claiginn, bu chinnteach eòlaichean,
Gum
bu torradh i
iomadachd Eabhraige,
a' bloigheachadh mì-thuigse,
an cuid eachdraidh is dualchais.
Bha
a freumhan
ann an Afraga,
a togail ri taobh na
Mara Meadhanaiche -
ach a dh'aindeoin sin b' e
ar baile, ris an canadh i dachaigh.

In Eboraco Habitabat

Soror Ave Vivas in Deo

On
a sycamore
terrace, her repose
was disturbed, with an
ivory bracelet around her
wrist, it was its whiteness, that
of her bones reflecting the sunrays
of that cool post-millennial afternoon.
Scattered
around her,
symbols of her
status - beads of jet,
pendant earrings and
a looking-glass that would
Reflect
no longer her
comely features, lost
to the recession of her flesh.
Yet,
gathering
fragments of
tissue from her
teeth, gauging the
features of her skull,
the experts were certain
She
was born
out of York's
diversity, smashing
the misconceptions of
our very history and heritage.
Her
roots were
in Africa, her
upbringing beside
the Mediterranean - yet
it was our city, she called home.

Ann an taigh-tasgaidh Shìorrachd Eabhraige tha cnàmhlach Ròmanach. A' dèanamh dheuchainnean air, fhuair luchd-saidheins a-mach gum b' e boireannach a bh' ann, le inbhe àrd, a rèir na chaidh a thìodhlacadh leatha is gun do bhuin i do dh'Afraga a Tuath – a' chiad neach Dubh as aithne dhuinn ann an eachdraidh nan eileanan seo.

In the Yorkshire Museum is a Roman skeleton. When subjected to analysis by scientists, they discovered that it was that of a high status woman belonging to the North of Africa – the first Black Briton in the recorded history of these islands.

Beannachd

Air a cho-sgrìobhadh le Raonaid Nic an Fhùcadair

A' comharrachadh 1500 bliadhna o rugadh Calum Cille air fonn le Raonaid

Cantus, cantus noster.
Benedictio pacis tecum.

Air sgiathan caoine calmain,
thar dhùthchannan an iar
eadar Doire 7 Eilean Ìdhe
sgaoileadh sanas fois 7 sìth.

An curach fiodha iriosal,
fo stiùir an ràimh a-mhàin,
eadar crìoch an t-sàil 7 speuran
thugadh teagasg leis an làn.

Air saoghal a' sìor thionndadh,
chì sinn caochladh mall nan linn,
ach dhaibhsan tha fo èislean -
guidheam beannachd leigheas dìth.

Alleluia!
Benedictio pacis tecum.

Beannachd air gach creutair,
fo thonn no saor air sgèith,
gum biodh aca uisge fìorghlan,
gum biodh aca biadh 7 stèidh.

Beannachd air gach cridhe
tha aonranach 7 trom,
gum biodh aca tèarmann sìochail,
gum biodh aca dìon 7 fonn.

Alleluia!
Benedictio pacis tecum.

Togaibh cinn 7 spiorad,
togaibh guth 7 seinn le chèil'.
Ge b' e càite fon ghrèin a bhios tu,
Nar n-uaigneas 's sinn tha cruinn.

Alleluia!
Benedictio pacis tecum.

Cantus, cantus noster.
Benedictio pacis tecum.

Fhuair Raonaid coimisean an t-òran ùr seo a chumail ri linn ceann-bhliadhna Chaluim Chille, a' comharradh 1,500 bliadhna o rugadh e.

Cantus Benedictus

Co-written with Rachel Walker

To mark 1500 years since the birth of St. Columba,
set to music by Rachel

Cantus, cantus noster.
Benedictio pacis tecum.

On a dove's tender wings
across the nations of the west,
between Derry & Iona
came a message of rest & peace.

In a humble wooden coracle,
rudderless, but for one oar,
where the sea meets the heavens
was beached teaching with the tide.

In our ever-turning world,
we see the times slowly transform -
but to those who are suffering,
I offer a blessing to ease that need.

Alleluia!
Benedictio pacis tecum.

A blessing on each creature,
under wave or free on the wing,
may they have fresh water,
may they have food & a place to live.

A blessing on each heart,
that is lonely or oppressed,
may they find their peace & sanctuary,
the safety of their own land.

Alleluia!
Benedictio pacis tecum.

Raise your heads & spirit,
raise one voice & sing as one.
Wherever the sun shines on you,
in our solitude we are gathered.

Alleluia!
Benedictio pacis tecum.

Cantus, cantus noster.
Benedictio pacis tecum.

Rachel received this commission to create a new song, marking the 1,500th anniversary of the birth of Saint Columba.

Glainne-mhara

Às dèidh Àdhaimh Uí Bhroin

Ghuidhinn Hiort orra,
nan aithnicheadh an slighe,
's iad, uair eile, a' togail
ceist air puist-seòlaidh

A bhios nan iùilean dhuinn
trast loidhnichean-rèisg
na rìoghachd
a cho-aonaich ar fine.

Tha gach clàr dhiubh na ciste
de dhùthchas gun phrìs,
ga ghlèidheadh eadar
lidean 's fuaimean,
na sìontan leis an do cho-rinneadh
ar dealbh-tìre.

Agus 's leinne e.
'S iad a thàinig is a thraogh
le uisgeachan Earra-Ghàidheil:
tràighte mar ghlainne-mhara,
trìd-dhoilleir is bleithte
leis an làn.

Sea-glass

After Àdhamh Ó Broin

I'd tell them where to go,
if they but knew the way,
as they, once again, raise
questions over signposts

That guide us diagonal
over the leylines
of this kingdom
that our kindred unified.

Their every face is a kist
of priceless birth rights,
preserved between
syllables and sounds,
the elements which
constitute our landscape.

And, ours, it is.
These are what arrived and
subsided with the waters of Argyll:
beached like sea-glass,
opaque and eroded
by the tide.

Leis an fhoillseachadh de sgoilearachd ùr aig Gilbert Márkus is luchd-acadamaigeach eile, thugadh ath-sgrùdadh air nas aithne dhuinn de thùs na Gàidhlig sna h-eileanan seo. Tha seo a' dol an aghaidh argamaidean le tùs ann an Èirinn, gur ann bhon taobh acasan a thàinig a' Ghàidhlig. Tha an obair ùr a' cumail romhainn dìth fianais lunnaidh no eilthireachd mhòir is, nan àite, so-dhèantas Mòr-Ghàidhealtachd, a thug a-steach Èirinn, Mannan is Costa an Iar na h-Alba, fada o stèidhicheadh Dàl Riata. Sgrìobh mi seo às dèidh chòmhraidhean mòra air a' chuspair le mo charaid is sàr-Ghàidheal Àdhamh Ó Broin.

With the publication of new scholarship by Gilbert Márkus and other academics, we are forced to reconsider what we understand of the origins of the Gaelic language in these islands. This goes against received ideas, most of which have an Irish locus, which presume that it is from there that Gaelic first came to Scotland. This new work presents to us a lack of evidence of any invasion or mass migration and, instead, the possibility of a Greater Gàidhealtachd, encompassing Ireland, Man and the Western Seaboard of Scotland, long before the establishment of Dàl Riata. This poem was inspired by the long conversations I've had with Àdhamh Ó Broin on the subject, sàr-Ghàidheal and a good friend.

Manadh

The distress of your suffering fills me daily with deep grief, when heathens desecrated God's sanctuaries, and poured the blood of saints within the compass of the altar, destroyed the house of our hope, trampled the bodies of saints in God's temple like animal dung in the street.

- Alcuin Eabhraige gu Higbald, Easbaig Lindisfarne

Thar iarmailt Northumbria,
thàinig teine-adhair bàn
a spreadh gach dath innte, ga losgadh gu neonitheachd
agus dealanach sgaoilte, a' soillseachadh an eilein,
a' froiseadh taistealaich ri corra-biod na cabhsair.

B' i a' ghaoth, air a grèidheadh
chuir na sgòthan an cuairt-dhàrbhais,
agus na coimhearsnaich ri cabhalaich:

A' trèigsinn an crann airson tèarmann na manachain,
fhad 's a losgadh an nèamh le lasan,
an deirge mar chorrachag-cagailt
is teangannan dràgon.

B' e tràth duilich a bh' ann do na h-Angla-Shasannaich ann an Sasainn a Tuath, fad ciad mìosan na bliadhna 793. Às dèidh làimhe, sgrìobh iad, 'there were immense whirlwinds, flashes of lightning and fiery dragons flying through the air.' Bha iad an dùil gum b' e manadh millidh a bh' anns na culaidhean-iongantais seo.

Premonition

The distress of your suffering fills me daily with deep grief, when heathens desecrated God's sanctuaries, and poured the blood of saints within the compass of the altar, destroyed the house of our hope, trampled the bodies of saints in God's temple like animal dung in the street.

- *Alcuin of York to Higbald, Bishop of Lindisfarne*

Across the Northumbrian firmament,
the sky was swathed in fire
that exploded every colour, burnt to whiteness,
with the spread of lightning illuminating the island,
scattering pilgrims - cowed on the causeway.

It was the whipped up wind,
that sent the clouds whirling into a dervish,
and the community distrait:

Abandoning their ploughs for the monastery's
sanctuary,
whilst the heavens succumbed to the flames,
the redness, like dragons' tongues,
flickering, dancing over the embers.

It was a difficult time for Anglo-Saxons in northern England in the first few months of the year 793. Later, they wrote, 'there were immense whirlwinds, flashes of lightning and fiery dragons flying through the air.' They viewed these phenomena as signs of impending disaster.

Òran na Cille

Oir 's a' ghrian, a chì sinn ag èirigh gach là, a dh'èireas a rèir A dh'àithne.

- Naomh Pàdraig

Coisich còmhla rium,
cas-rùisgte thar fheamainn
is clachan na tràghad,
gu comraich a' chladaich.

Coisich còmhla rium,
a dh'ionnsaigh an fhearainn,
is beannachd nad bhràghad
làn an dàin is an Dòmhnaich.

Cuir fàilt' air ciùin' an dorais,
barra-chaol chun a' chorra.
Seachain manadh an donais,
eadar ballachan mo chille.

Cuir cùl air cron na cruinne,
corra uair rèir na tìde:
dèan ann faire na grèine,
's i air laighe chun an iar.

Coisich còmhla rium,
thar cabhsair ar cinnidh
is claisean gach ceuma,
cuirt' ann leis gach creideas.

Coisich còmhla rium,
o àgh Phort na h-Innse,
gu suaimhneas na cille,
làn caoimhneas na caime.

Arrane ny Killey

Çhyndaait liorish Custal y Lewin.

Jean shooyl marym,
cass-rooisht harrish famlagh
as claghyn y traie,
dys kemmyrk y chladdagh.

Jean shooyl marym,
lesh y thalloo,
as bannaght ayns dty chleeau
lane yn erree as yn Doonaght.

Cur failt er kiuney yn dorrys,
baare-cheyl gys y vullagh.
Shaghyn monney yn donnys,
eddyr boallaghyn my chilley.

Cur cooyl rish cron ny cruinney,
ny cheayrtyn rere yn earish:
jean ayn arrey ny greiney,
as ee er lhie lesh y neear.

Jean shooyl marym,
harrish taagher nyn gynney
as clashyn dagh kesmad,
currit ayn liorish dagh credjue.

Jean shooyl marym,
voish sonnys Purt ny Hinshey,
dys soccarys ny killey,
lane keainid as kemmyrk.

Amhrán na Cille

Aistrithe ag Ben Ó Ceallaigh

Siúil in éindí liom,
cosnochta thar fheamainn
is clocha na trá,
go foscadh an chladaigh.

Siúil in éindí liom,
i dtreo na talún,
is beannacht le d'ucht
lán le dán is leis an Domhnach.

Cuir fáilte roimh shuaimhneas an dorais,
barrachaol go dtí an stuaic.
Seachain an drochthuar,
idir ballaí mo chille.

Iompaigh do chúl ar dhochar an domhain,
amanta de réir na haimsire:
déan faire ar an ngrian ann,
agus í ina luí san iarthar.

Siúil in éindí liom,
thar chosán ár gcine
is claiseanna gach coiscéime
curtha ann le muinín.

Siúil in éindí liom,
ó shonas Phort na hInse,
go suaimhneas na cille,
lán cineáltais agus ciúnais.

Cellsong

For that sun, which we see rising every day, rises at His command.

- St. Patrick

Walk with me,
barefoot across seaweed
and stones of the strand,
to the sanctuary of his shore.

Walk with me,
out, towards the land,
with a blessing in chest
of destiny and Sabbath.

Welcome silence at the door,
tapered to the apex,
avoid all ill omens,
between the walls of my cell.

Turn your back on worldly wrongs,
once in a while, if you've time:
keep a vigil to the sun
as it sets in the west.

Walk with me across
our kindred's causeway,
with the furrow of each step
set down in good faith.

Walk with me,
from Peel's providence
to the repose of the cell,
the urbane sanctuary.

Sgrìobh mi an dàn seo gus ceann-bhliadhna nan cillean ann an Eilean Mhanainn a chomhrrachadh. Ghlèidh e ciad àite ann an co-fharpais bàrdachd Gàidhlig Bhaile na h-Ùige ann an 2017. Bliadhnaichean às dèidh làimh, fhuair mi fhìn is buidheann luchd-ealain coimisean o Fhoras na Gaeilge an dàn eadar-theangachadh don Ghàidhlig Mhanainnich is Èireannaich agus fuinn a chumail ris na trì dreachan.

I wrote this poem to mark the anniversary of the monks' cells in the Isle of Man. It took first place in the Wigtown Gaelic poetry competition in 2017. Years later, I received a commission alongside other artists from Foras na Gaeilge which led to it being translated into Irish and Manx and the three versions set to music.

Alba

'S Alba
bhàrc a-mach
à làr na mara:
na h-àth lasach,
làn shradagan balganta,
's a bha annasach na h-àgh.

Bha falbhan Alba dàna,
mar a dh'fhàs mach às an t-sàl slàn
's bha là a tràthachd fàbharach,
a' dannsadh athach ra dàn.

Alba,
crannag:
fad às, anns an Tabh,
ga nasgadh, bacanach 's cnapach
's a tacsa bh' ann an tràthach 's dàm

Am falach na mara
thàna an gàth nach bàthadh fhathast
ach cha d' rachadh Alba a-bhàn, an-dà,
's dh'fhàs a nàdar cabrach, badanach 's àrd

A barran garbha 's a lagan bhlàthan,
gach blàr 's achadh glas
na garanan sàmhach, gach crann
an sgàth amaladh dharach ann.

Bha a cladach carrach 's a clachan
gan sàl-bhàthadh a ghnàth,
's mar chapan d' a bhaltan bha h-adhar,
dh'fhàg a làrach amarach na tàmh.

Alba,
crann-tara,
's a lasagan nach fann,
ach sgafanta fa fànas bàn,
ann an camas dh'astar 's an dàn.

Alba

It was Alba
that emerged
from the centre of the sea:
a kiln, flaming,
resplendent with sparks, flashing,
her providence uncommon.

Alba's trajectory was bravery
as she grew unbroken from the brine,
right place, right time,
and she danced timidly before her destiny.

Alba,
a crannog:
far out in the Atlantic,
bonded into a knotted palisade,
her buttress of mud and meadowgrass.

Concealed at sea:
engulfed yet never asunder,
branches grew out of her nature
in the high groves.

Her rugged peaks and hollows, filled with blossom,
each field and moorland verdant
in her quiet coppices,
every oak bough intertwined.

The rocks of her craggy shoreline
swallowed in the cycle of the sea,
like a chalice to the cloudburst of her skies,
which left her scarred with tranquil waterways.

Alba,
a beacon,
her flames lustrous,
determined under her pallid horizon,
at the juncture of space and destiny.

B' ann an co-chruinneachadh le Jenny Lindsay, This Script, *a leugh mi dàn air a sgrìobhadh le fuaimreag a-mhàin airson a' chiad uarach. Tha an dàn seo a' comharradh aonadh na h-Alba anns an naoidheamh linn. B' ann le Rìghrean làn-Ghàidhlig a rinneadh seo – mar sin cha bhiodh Alba ann às aonais na Gàidhlig. 'S ann leis an litir A – Alpha is Alef – a bhios iomadh aibidil is iomadh sgeulachad a' tòiseachadh.*

I first read a univocal poem in Jenny Lindsay's collection, This Script. *This poem was written to mark the unification of Scotland in the ninth century. This was the feat of Gaelic-speaking kings – without Gaelic there would be no Scotland. The letter A – Alpha, Alef – is the start of many alphabets and, many stories.*

` 7 ′

Ceud bliadhna deug às dèidh Leabhar Dhèir

Chan aontaich sinn air
sruth na tonnaige:
cha ghreimich sinn
feacharachd na gaoith′.
Fàgaidh feadhainn comharraidhean
a′ sùileachadh na teachdail spaideil,
mar fhaire fhada an ear-fhàire
7 coileach-teth fo na beanntan –
mar dhòchas,
teachd Messiah a′ chànain.

Ach an aghaidh sin, chluinnear
gairm sluaigh eile
7 sràc na sgiùrsaige.

Fon chàrn, fhad ′s a thagras iad
na seachad,
thìodhlacar fuaimreagan
fon deigh-shiubhail

7 an fheadhainn eile
a dh′ath-sgrìobhadh eachdraidh
le earabaill nam facal,
a dh′èiricheadh fogharan
leth-mharbh
mar Ìosa do làmh lag Lasarais.

Ach siùbhlaidh sinn
sa charbad bhrèidichte againn,
leis na cuibhlichean seacte sian,
fo stiùir an ioma-mhèinn
7 sinn uile ri gearain,
a′ càineadh ar cloinne
7 an cuid cheistean.

′S e Leabhar Dhèir a′ chiad fhianais a th′ againn air Gàidhlig gu tur Albannach agus sin ann am marghain làmh-sgrìobhainn a bhuineas do Shìorrachd Obar Dheathain. Le GOC thàinig atharrachadh air an dòigh-sgrìobhaidh againn as ùr agus a rèir seanchais, fhuaireas às don shìneadh fhada gus a coltas a dhèanamh eadar-dhealaichte bhon Ghàidhlig Èireannaich, air an duilleig.

‘&’

Owerset bi Stuart A. Paterson

We cannae bear the gree
oan the bickerin wave:
cannae get a grup o
the flichtsome win.

A wheen lea mindins, cock
their lugs tae weel-daein comin days,
a gey lang wait day eftir day
fur a veesion faur ayont the hills-
lik the howped-fur advent
o the leid’s ain Messiah

Agin them ye’ll hear the cry
& the snack o the whup
o anither sic thrang
ablo the cairn while
they yirk fur days lang syne
an bury vooels ablo the glacier.

& yon ithers whae’d scrieve
history yince again wi suffixes,
whae’d heize up disjaisket soonds
lik Jesus tae the wake haun o Lazarus.

We a gang doon the road
in wur mixter-maxter cairrage
wi its wheechin wabbit wheels,
gart bi camsteerie howps
& a the faas an coups,
giein wur weans laldie fur
speirin ocht ava.

Eleven hundred years after the Book of Deer

We cannot agree
on the flow of the wave:
we cannot grasp
the teasing wind.

Some leave marks,
expecting an illustrious future,
like a long-term vigil on the horizon
& a mirage over the mountains -
like hope,
the advent of the tongue's Messiah.

Against them is heard
the call of another throng,
& the crack of the whip.

Under the cairn, while they advocate
the past,
they bury vowels
under the glacier

& the other lot,
that would re-write history,
with suffixes,
raising sound,
moribund,
like Jesus to the feeble hand of Lazarus.

But we all travel,
in our patchwork carriage,
with its sunken, churning wheels,
propelled by scattered intention
& all the contention,
chastising our children
& their questions.

The Book of Deer is the first evidence we have of a truly Scottish Gaelic, found in the marginalia of a manuscript with its origins in Aberdeenshire. With GOC the face of our language changed again and as legend has it, they did away with the sìneadh fada *in a bid to make our language look different from that of the Irish, on the page.*

Myrddin

Mise a' ghaoth
Mise sgàirn mac-tìre
Mise an t-adhar
Mise cleas na h-inntinn
Mise an sgòth
Mise steudadh deachda
Mise an speur
Mise feidir na grèine

Mise an abhainn
Mise sruth na cuisle
Mise an loch
Mise ciùineas h-oidhche
Mise an t-uisge
Mise deòirean speura
Mise a' mhuir
Mise fada, farsaing gu lèir

Cha mhise boireannach
No fear
Mise neoni
Mise uile gu lèir
Mise Myrdinn
Mise mac an deamhain
Mise gainmhein
Mise a' chruinne-cè

Mise an talamh
Mise toradh na ràithe
Mise a' chlach
Mise fonndas do chridhe
Mise a' choille
Mise dearcan-daraich
Mise an cladach
Mise caithte le còntraigh

Mise an t-sradag
Mise splag do shùla
Mise an dealan
Mise srad do fhrìthe
Mise samhnag
Mise lasair do lasain
Mise an tealach
Mise blàths' an teine

Merlin

I am the wind
I am the howl of the wolf
I am the air
I am the trick of the mind
I am the cloud
I am the billow of thought
I am the sky
I am the power of the sun

I am the river
I am the flow in the vein
I am the lake
I am nocturnal peace
I am the rain
I am heaven's tears
I am the sea
I am far and wide and eternal

I am neither woman
nor man
I am nothing
I am everything
I am Merlin
I am the incubus' son
I am grain of sand
I am the universe

I am the land
I am the season's harvest
I am the rock
I am your heart's foundation
I am the forest
I am the oak tree's fruit
I am the shore
I am neap-tide worn

I am the spark
I am the flash in your eye
I am the lightning
I am the eruption of anger
I am the bonfire
I am the flame of your passion
I am the hearth
I am the warmth of the fire

↓ Very different form
↓ Repetative
↓ effective

B' e Goiridh de Threfynwy, easbaig is neach-eachdraidh Sasannach, a sgrìobh na th' againn am measg ciad chunntasan Myrddin. B' e a' chiad obair aige, Prophetia Merlini, *no* The Prophecies of Merlin, *a chaidh fhoillseachadh tràth sna 1130an. B' e seo a' chiad tuairisgeulachadh de Mhyrddin as aithne don mhòr-chuid san là an diugh.*

Geoffrey of Monmouth, an English bishop and historian, wrote one of the earliest accounts of Merlin. His earliest work, Prophetia Merlini, *or* The Prophecies of Merlin, *was published in the early 1130s. This was the first depiction of Merlin that most people are familiar with today.*

Sìle nan Cìoch

Their
'ad
gum b' ann
le fosgladh
do liopan-clòimheach
a ghràinicheadh tu an deamhan.

D' fheisealachd ro ghrath do shùil fhear,
chùm am meòir fhada
bhom boid 7
taic breith
do
mhnai.

Tha Sìle nan Cìoch ri faicinn ann an Earagail Ciaráin Óig ann an Contae Thír Eoghain. 'S e clachan-shnaidhte figearach a th' ann an Sìle nan Cìoch, far am faicear boireannaich dhearg-rùisgte a' nochdadh am pitean. Tha iad seo rim faighinn air feadh na Roinn Eòrpa, ach a' mhòr-chuid dhiubh ann an Èirinn.

Sheela-na-gig

They
say
it was
in spreading
your labia that
you'd frighten away the devil.

Your sex perturbed the eyes of men,
stalled onanism,
was support,
at birth,
to
wives.

There is a Sheela-na-gig in Errigal Keerogue in Country Tyrone. The Sheela-na-gigs are figurative carvings representing naked women in vulval poses. They can be found on cathedrals, castles, and other buildings throughout Europe. Their greatest concentrations are found in Ireland.

Llyn Bochlwyd

As for the body of the Prince, his mangled trunk, it was interred in the Abbey of Cwm Hir, belonging to the Cistercian Order.

- Florence of Worcester

B' ann aig a' bhàrr a thàinig an damh liath gu stad,
a theanga, dearg an aghaidh gruaim an adhair,
is choimhead e air ais, bodhar ach ro a shèidean,
gus an cinn fhaicinn, ag èirigh bhon fho-ros,
an cuideachd comhartaich nan con.

An glomhas fosgailte, mar chlap an donais,
cha b' e ruith ach leum a bha na dhàn,
a chrùbhan spàgach gun taic na talmhainn
agus bhuail e air uachdar an uisge airgid.

Chaidh ainmean Llywelyn agus Eanraig III a chur ri Cùmhnant Montgomery san t-Sultain 1267 gus sìth a choileanadh. Air ùmhlachd a thoirt do dh'Eanraig, fhuair Llywelyn urram Prionnsa na Cuimrigh. Cha do bhuidhinn an co-chòrdadh an t-sìth a bha taobh seach taobh a' sireadh. Ann an 1282, chaidh Llywelyn a mharbhadh faisg air Llanfair-ym-Muallt. Chaidh a cheann a ghearradh bhuaithe mus deach a thaisbeanadh thairis air geata Thùr Lunnainn, far an deach a chrùnadh le eidheann, ann an gnìomh magaidh.

Llyn Bochlwyd

As for the body of the Prince, his mangled trunk, it was interred in the Abbey of Cwm Hir, belonging to the Cistercian Order.

- Florence of Worcester

It was at the summit the grey stag paused,
its tongue, red against the scowling sky
and it looked back, deaf but to its breathlessness,
to see their heads, rising from the undergrowth,
in the company of their baying hounds.

The chasm gaping like the mouth of evil,
with no hope of fleeing, his only choice to leap,
his hooves splayed without the stay of the land,
he hit the water's silver surface.

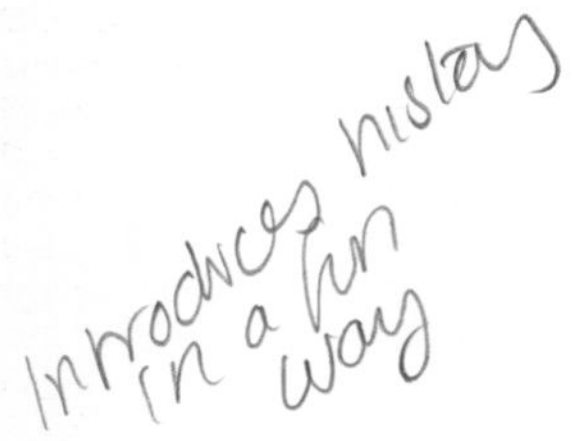

The Treaty of Montgomery between Llywelyn and Henry III was signed in September 1267 in order to achieve peace. In exchange for paying homage to Henry, Llywelyn acquired the title of Prince of Wales. The treaty did not secure the peace both parties sought. In 1282, Llywelyn was killed near Builth Wells. He was executed before being exhibited over the gate to the Tower of London, where his head was crowned with ivy, an act of mockery.

Foirgheall (*air an duilleig eile*)

v playing with text

ichean athraichean iol-sheòrsach pòsta iol-sh seann-phàrantan iol-sheòrsach pòsta iol-sh mic ìghnean mic peath
ichean athraichean iol-sheòrsach pòsta iol-sh seann-phàrantan iol-sheòrsach pòsta iol-sh mic ìghnean mic peath
ichean athraichean iol-sheòrsach pòsta iol-sh seann-phàrantan iol-sheòrsach pòsta iol-sh mic ìghnean mic peath
ichean athraichean iol-sheòrsach pòsta iol-sh seann-phàrantan iol-sheòrsach pòsta iol-sh mic ìghnean mic peath
ichean athraichean iol-sheòrsach pòsta iol-sh seann-phàrantan iol-sheòrsach pòsta iol-sh mic ìghnean mic peath
òrsach dà-sheòrsac màthraichean athraichean oghaichean co-og rsach dà-sheòrsach tàr-g mic hean og mic -ghnè
òrsach dà-sheòrsac màthraichean athraichean oghaichean co-og rsach dà-sheòrsach tàr-g mic hean og mic -ghnè
òrsach dà-sheòrsac màthraichean athraichean oghaichean co-og rsach dà-sheòrsach tàr-g mic hean og mic -ghnè
òrsach dà-sheòrsac màthraichean athraichean oghaichean co-og rsach dà-sheòrsach tàr-g mic hean og mic -ghnè
òrsach dà-sheòrsac màthraichean athraichean oghaichean co-og rsach dà-sheòrsach tàr-g mic hean og mic -ghnè
ichean athraichean iol-sheòrsach pòsta iol-sh seann-phàrantan iol-sheòrsach pòsta iol-sh mic ìghnean mic peath
ichean athraichean iol-sheòrsach pòsta iol-sh seann-phàrantan iol-sheòrsach pòsta iol-sh mic ìghnean mic peath
ichean athraichean iol-sheòrsach pòsta iol-sh seann-phàrantan iol-sheòrsach pòsta iol-sh mic ìghnean mic peath
ichean athraichean iol-sheòrsach pòsta iol-sh seann-phàrantan iol-sheòrsach pòsta iol-sh mic ìghnean mic peath
ichean athraichean iol-sheòrsach pòsta iol-sh seann-phàrantan iol-sheòrsach pòsta iol-sh mic ìghnean mic peath
aich caitligich musla màthraichean athraichean ich pròstanaich c rsach dà-sheòrsach tàr-gh mic nduthai mic rsach
aich caitligich musla màthraichean athraichean ich pròstanaich c rsach dà-sheòrsach tàr-gh mic nduthai mic rsach
aich caitligich musla màthraichean athraichean ich pròstanaich c rsach dà-sheòrsach tàr-gh mic nduthai mic rsach
aich caitligich musla màthraichean athraichean ich pròstanaich c rsach dà-sheòrsach tàr-gh mic nduthai mic rsach
aich caitligich musla màthraichean athraichean ich pròstanaich c rsach dà-sheòrsach tàr-gh mic nduthai mic rsach
rean bràithrean bràithrean bràithrean bràithrean bràithrean bràithrean bràit mic ràithrea mic àithrea
ichean athraichean beurla beurla beurla beurl seann-phàrantan beurla beurla beurla beurl mic urla beu mic beurla
ichean athraichean beurla ghallta beurla ghal seann-phàrantan beurla ghallta beurla ghal mic urla gh mic beurla
ichean athraichean gàidhlig gàidhlig gàidhlig seann-phàrantan gàidhlig gàidhlig gàidhlig mic hlig gài mic gàidhl
ichean athraichean beurla ghallta beurla ghal seann-phàrantan beurla ghallta beurla gha mic urla gh mic beurla
ichean athraichean beurla beurla beurla beurl seann-phàrantan beurla beurla beurla beurl mic urla beu mic beurla
rean bràithrean bràithrean bràithrean bràithrean bràithrean bràithrean bràit mic ràithrea mic àithre
aich caitligich musla màthraichean athraichean ich pròstanaich c rsach dà-sheòrsach tàr-gh mic nduthaic mic rsach
aich caitligich musla màthraichean athraichean ich pròstanaich c rsach dà-sheòrsach tàr-gh mic nduthaic mic rsach
aich caitligich musla màthraichean athraichean ich pròstanaich c rsach dà-sheòrsach tàr-gh mic nduthaic mic rsach
aich caitligich musla màthraichean athraichean ich pròstanaich c rsach dà-sheòrsach tàr-gh mic nduthaic mic rsach
aich caitligich musla màthraichean athraichean ich pròstanaich c rsach dà-sheòrsach tàr-gh mic nduthaic mic rsach
ichean athraichean iol-sheòrsach pòsta iol-sh seann-phàrantan iol-sheòrsach pòsta iol-sh mic ìghnean mic peath
ichean athraichean iol-sheòrsach pòsta iol-sh seann-phàrantan iol-sheòrsach pòsta iol-sh mic ìghnean mic peath
ichean athraichean iol-sheòrsach pòsta iol-sh seann-phàrantan iol-sheòrsach pòsta iol-sh mic ìghnean mic peath
ichean athraichean iol-sheòrsach pòsta iol-sh seann-phàrantan iol-sheòrsach pòsta iol-sh mic ìghnean mic peath
ichean athraichean iol-sheòrsach pòsta iol-sh seann-phàrantan iol-sheòrsach pòsta iol-sh mic ìghnean mic peath
òrsach dà-sheòrsac màthraichean athraichean oghaichean co-o rsach dà-sheòrsach tàr-gh mic hean og mic rsach
òrsach dà-sheòrsac màthraichean athraichean oghaichean co-o rsach dà-sheòrsach tàr-gh mic hean og mic rsach
òrsach dà-sheòrsac màthraichean athraichean oghaichean co-o rsach dà-sheòrsach tàr-gh mic hean og mic rsach
òrsach dà-sheòrsac màthraichean athraichean oghaichean co-o rsach dà-sheòrsach tàr-gh mic hean og mic rsach
òrsach dà-sheòrsac màthraichean athraichean oghaichean co-o rsach dà-sheòrsach tàr-gh mic hean og mic rsach
ichean athraichean iol-sheòrsach pòsta iol-sh seann-phàrantan iol-sheòrsach pòsta iol-sh mic ìghnean mic peath
ichean athraichean iol-sheòrsach pòsta iol-sh seann-phàrantan iol-sheòrsach pòsta iol-sh mic ìghnean mic peath
ichean athraichean iol-sheòrsach pòsta iol-sh seann-phàrantan iol-sheòrsach pòsta iol-sh mic ìghnean mic peath
ichean athraichean iol-sheòrsach pòsta iol-sh seann-phàrantan iol-sheòrsach pòsta iol-sh mic ìghnean mic peath
ichean athraichean iol-sheòrsach pòsta iol-sh seann-phàrantan iol-sheòrsach pòsta iol-sh mic ìghnean mic peath
rean bràithrean bràithrean bràithrean bràithrean bràithrean bràithrean bràit mic bràithre mic àithre
òrsach dà-sheòrsac dhaich budaich sikhich iùdhai oghaichean co-o iùdhaich budaich sikhich iùd mic aich bud mic sikhich
òrsach dà-sheòrsac dhaich budaich sikhich iùdhai oghaichean co-o iùdhaich budaich sikhich iùd mic aich bud mic sikhich
òrsach dà-sheòrsac dhaich budaich sikhich iùdhai oghaichean co-o iùdhaich budaich sikhich iùd mic aich bud mic sikhich
òrsach dà-sheòrsac dhaich budaich sikhich iùdhai oghaichean co-o iùdhaich budaich sikhich iùd mic aich bud mic sikhich
òrsach dà-sheòrsac dhaich budaich sikhich iùdhai oghaichean co-o iùdhaich budaich sikhich iùd mic aich bud mic sikhich
rean bràithrean bràithrean bràithrean bràithrean bràithrean bràithrean bràith mic ràithrea mic àithre
ichean athraichean iol-sheòrsach pòsta iol-sh seann-phàrantan iol-sheòrsach pòsta iol-sh mic ìghnean mic peath
ichean athraichean iol-sheòrsach pòsta iol-sh seann-phàrantan iol-sheòrsach pòsta iol-sh mic ìghnean mic peath
ichean athraichean iol-sheòrsach pòsta iol-sh seann-phàrantan iol-sheòrsach pòsta iol-sh mic ìghnean mic peath
ichean athraichean iol-sheòrsach pòsta iol-sh seann-phàrantan iol-sheòrsach pòsta iol-sh mic ìghnean mic peath
ichean athraichean iol-sheòrsach pòsta iol-sh seann-phàrantan iol-sheòrsach pòsta iol-sh mic ìghnean mic peath
òrsach dà-sheòrsac màthraichean athraichean oghaichean co-o rsach dà-sheòrsach tàr-gh mic hean og mic rsach
òrsach dà-sheòrsac màthraichean athraichean oghaichean co-o rsach dà-sheòrsach tàr-gh mic hean og mic rsach
òrsach dà-sheòrsac màthraichean athraichean oghaichean co-o rsach dà-sheòrsach tàr-gh mic hean og mic rsach
òrsach dà-sheòrsac màthraichean athraichean oghaichean co-o rsach dà-sheòrsach tàr-gh mic hean og mic rsach
òrsach dà-sheòrsac màthraichean athraichean oghaichean co-o rsach dà-sheòrsach tàr-gh mic hean og mic rsach

Declaration

athraichean	fathers
beurla	***english***
beurla ghallta	***scots***
bràithrean	**brothers**
budaich	*buddhists*
caitligich	*catholics*
co-oghaichean	cousins
co-sheòrsach	***homosexual***
dà-sheòrsach	***bisexual***
gàidhlig	***gaelic***
ìghnean	daughters
iol-sheòrsach	**heterosexual**
iùdhaich	*jews*
màthraichean	mothers
mic	sons
muslamaich	*muslims*
oghaichean	grandchildren
pòsta	**married**
seann-phàrantan	grandparents
tar-gnèitheach	***transgender***
peathraichean	sisters
pròstanaich	*protestants*
sikhich	*sikhs*

Seo dàn lèirsinneach a sgrìobh mi gus ceud bliadhna bho chaidh Obar Bhrothaig ainmeachadh, a' comharrachadh Alba anns a h-uile glòir eadar-mheasgte aice.

This is a visual poem I wrote to celebrate the centenary of the declaration of Arbroath, celebrating Scotland in all its diverse glory.

Am Facal

But just because I am a woman, why must I not write of the goodness of God?

- Julian of Norwich, Revelations of Divine Love

B' aithne dhi rùchd nan carbadan
a thàinig gus na cuirp a thogail,
am breum ag èirigh bhuapa is iad
caithte an uaighean gun chomharra.

B' ann aig àm a cruaidh-chàis
a chuala i am facal a lìon e i
bho bhun gu bàrr
le gràdh iol-iadhach màthar.

Bha an còmhradh sin
mar thogail uisge bhon tobar
agus, basan sgaoilte,
crom ri leacan a' chaibeil,
b' i am fianais a h-adhlacaidh fhèin.

Ga cumail bhon t-saoghal,
na tèarmann le trì uinneagan,
sgrìobh i fad deich air fhicead bliadhna,
a' cumail, ma briathran taobhanach,
doib a cànain, uile gu lèir.

B' euchd a mhair nan aoisean,
aig làmh leth-oireach a bhuin
do thè a chanadh, na h-irioslachd
rithe fhèin, *creutair neo-litireach.*

Sgrìobhadh an dàn seo às dèidh prògram aithriseach aig an Oll. Janina Ramírez fhaicinn mu dhèidhinn na mnà-ònaraine Julian de Norwich. Rè a beò, sgrìobhadh Julian cunntasan a cuid aislingean anns an leabhar aice Revelations of Divine Love, *an leabhar as sine againn, sgrìobhte ann am Beurla aig boireannach.*

The Word

But just because I am a woman, why must I not write
of the goodness of God?

- Julian of Norwich, Revelations of Divine Love

She knew the rumble of the carts
that came to lift the dead,
the stench rising from them,
as they were cast into unmarked graves.

It was in her own extremis
she heard the word, it filled her,
wholly, with the all-encompassing
love of a mother.

That conversation
was like taking water from the well
and, palms outstretched,
crouched into the chapel's flagstones,
she was witness to her own interment.

Sequestered from the world
in her three-windowed sanctuary,
she wrote for thirty years,
augmenting the wattle of her word
with the daub of her entire language.

It was a work to outlive the ages,
from a hand in isolation, which
belonged to one, who in her humility
named herself *unlettered creature*.

This poem was inspired by a documentary with Dr. Janina Ramírez. Throughout her life, Julian would continue to have religious visions, writing detailed accounts of each of them in her book Revelations of Divine Love*, the earliest book ever written in English by a woman.*

An Lysardh

Keskerdh Kernow

Chruinnich iad rin cèile air creagan,
an cuan fodhpa, a' tràghadh mar
lionnach tuirceis thar nam bacann.

Fada bhuapa, Syllan, ag èirigh
às na h-uisgeachan, stòlda is rag ro thìm.
Cha deigheadh an clachan a bhleitheadh,

Is mar sin dh'fhàs dealas annta,
air am mionnan Còrnais, gur iadsan
a sheasadh an aghaidh caochlaidh:

Biodh leothasan gach gròta agus
prìs na staoime, air a sgoradh
às an talaimh aca fo dhùbhras.

Biodh acasan an solas, am miann
a ghlèidheadh eadar an corragan,
is sealbh Kernow le gach ceum coise.

Thòisich Rebellyans Kernow, *a' chiad ar-a-mach Còrnach ann an àite air a bheil* An Lysardh *(aithnichte mar* The Lizard *sa Bheurla) agus chrìochnaich e le Blàr Deptford Bridge faisg air Lunnainn air 17mh an Ògmhios, 1497. Thòisicheadh e nuair a thog Rìgh Eanraig VII cìsean cogaidh gus iomairt a mhaoineachadh an aghaidh Alba. B' iad Còrnaich a bh' anns an arm cheannairceach sa mhòr-chuid, ged a tharraing e taic cuideachd bho Devon, Somerset, agus siorrachdan Sasannach eile. Dh'fhuiling a' Chòrn gu sònraichte leis gu robh an rìgh air casg a chur air gnìomhachas mèinnearachd na staoine bho bhith ga obair gu laghail.*

An Lysardh

Keskerdh Kernow

There, they gathered on the cliffs,
the ocean beneath them beaching
like liquid turquoise across the dunes.

Far beyond them, the Scilly Isles, rising
out of the waters, rank and file, unplied by time.
Their rocks never to be worn down

And so the zeal swelled within them,
solemnised in Kernowek, that they
would stand against the change:

Make the groat their own and the
price of tin, hacked out
of their land in darkness.

They would have the light, the will
to clinch it between their fingers,
and take back Kernow with each footstep.

Rebellyans Kernow, *the first Cornish rebellion began in a place named* An Lysardh *(anglicised as* The Lizard*) and culminated with the Battle of Deptford Bridge near London on 17th June, 1497. It was set off by the raising of war taxes by King Henry VII in order to finance a campaign against Scotland. The insurgent army primarily consisted of Cornishmen, although it also attracted support from Devon, Somerset, and other English counties. Cornwall suffered especially because the king had recently banned its tin mining industry from operating legally.*

An Lysardh
Treylys gans Taran Spalding-Jenkin

Keskerdh Kernow

Ena, i a guntelas war'n alsyow,
an mor ow tira yn-danna
kepar ha glaswyrdh linyel a-dreus dhe'n tewynnow.

Pell dresta, Syllan, ow sevel
yn-mes a'n dowrow, renk ha koloven, displegys gans prys.
Aga harrygi nevra ny vydh lavurys,

Hag ytho an diwysykter a's hwedhas a-bervedh,
sanshes yn Kernowek, rag may
savsens orth an chanj:

Kemeres perghenogeth gansa a'n grot ha'n
pris a sten, hackys yn-mes
a'ga thir yn tewlder.

Y's tevia an golow, an bodh
dh'y dhalghenna ynter aga besyes,
ha daswaynya Kernow gans pub kamm.

Rebellyans Kernow, an kynsa rebellyans Kernow a dhallathas yn le henwys An Lysardh (sowsnekhes dhe The Lizard) ha gorfennys gans an Bresel Pons Deptford ogas dhe Loundres orth an 17ves a Vis Metheven, 1497. Sordys o drefen sevel toll bresel gans Myghtern Henry VII dhe be rag kaskyrgh orth Alban. An lu omsevyas o Kernowyon yn kynsa, mes ynwedh y tennas skoodhyans dhywoth Dewnens, Gwlas An Hav, ha kontethow Pow Sows erel. Kernow a wodhavas yn arbennek drefen an myghtern a wrug difen a-lergh aga diwysyans balyow sten a oberi yn laghel.

Bogha Mairead

Mar chuimhneachan air Mairead Tudor,
Banrigh nan Albannach

Nad urram,
bhriseadh clach is mortar balla na h-Abaid
gus bogha a stèidheachadh,
tron an do choimhead
luchd àite nan iubhar
mu fhìor-thuath,
fuachd is gailleann.

Bu tu Banrigh nan Albannach, mu thràth,
thoradh còrdaidh is cùmhnant –
nad làmhan fhèin, sìth
a bha cho mòr ga sireadh,
do phleata is seudan an eisimeil oirre.

Fad dà là,
air aoigheachd aba –
ridirean na sgìre air an cruinneachadh
gu spaideil gus tomhas a dhèanamh air do choltas –
feuch an robh e an coimeas na portraide
a shiubhail, air thoiseach ort,
fad an t-slighe a Dhùn Èideann.

An sin an Taigh an Ròid,
is tu a mhair cogadh is cluaineireachd,
ag àrach clann-dìolain do rìgh ùir,
do chlann a' crìonadh nan leanabas fhèin,
ach mac a-mhàin a dh'fhàsadh gu inbheachd -

Ann-san,
cluaran is ròs, agus sìol
a rinn daingeann an dàimh
eadar do dhà rìoghachd,
math no dona,
bu tusa 's do bhrù fhèin –
fìor-bhunait rìgh-chathair.

Margaret's Arch

In memory of Margaret Tudor,
Queen of Scots

In your honour,
stone and mortar were breached in the Abbey wall
to establish an archway, through which
the people of the place of the yew trees
glimpsed due north,
through chills and storms.

You were already Queen of Scots,
the result of treaty and accord –
in your own hands you kept the peace,
so keenly sought,
your plate and jewels dependent on it.

For two days,
on the abbot's hospitality –
the knights of the region gathered
in their finery to inspect your countenance –
to discern if it might match the portrait,
sent on, before you,
as it wound its way to Edinburgh.

There, at Holyrood,
you endured war and intrigue,
raising your new king's bastards,
your own offspring withering in their infancy,
but for that one son to grow into his majority –

In him,
a thistle and a rose, and a bloodline
that has determined the affinity
between your two kingdoms,
for good or ill,
you and your own womb –
the very foundation of a throne.

Chaidh Bogha na Banrigh Mairead ainmeachadh do Mhairead Tudor, nighean Eanraig VII, a chuir ùine seachad ann an an Eabhraig ann an 1503 air a slighe gu Dùn Èideann, far am pòsadh i Seumas IV na h-Alba. Bha an Rìgh Eanraig an dùil a chleachdadh airson a chuid siubhail gun chathair-eaglais, The Minster, *is e a' tadhail air Abaid Moire.*

Queen Margaret's Arch is named after Margaret Tudor, daughter of Henry VII, who stayed in York in 1503 on her way to Edinburgh, where she would marry James IV of Scotland. King Henry supposedly intended to use it for his 'pleasure and passage' to the Minster on a visit to St Mary's Abbey.

An Nua-aimsir

Modernity

Trompaidear Dubh

Às dèidh Sgrola Fèill-chluich Westminster,
mar chuimhneachan air John Blanke

Air a chuairsgeadh
is air a thasgadh fad nan linntean,
tha luchd-eòlais air tilleadh
do shiathad troighean an t-seallaidh,
gus a sgrùdadh is a mheòrachadh –

Sin thu air thoiseach air chàch,
trombaid nad bheul is do ghruaidh,
air a lìonadh cha mhòr le moit
ri le anail, a' sèideadh an sgala.

Pròis an rìgh òig, 's a bhean
a' bhanrigh na leabachadh fhathast,
na h-ùr-mhàthaireachd,
beagan làithean às dèidh là na bliadhn' ùire.

Deiltreadh is prìomh-dhathan -
buidhead is glaise do lìbhre
's do cheann air a phasgadh le
sìoda – is dòcha – bha uaine
's air a mhaiseachadh le òr.

Cha chrìon do choltas leis an aois,
no do luach no bu mhotha,
a sheas thu fhèin ann an sgrìobhadh –

the said Reward to your said servant
from the fyrste day of December last passed
during your moost gracious pleasure
which wage of xvi d by the day

Mar sin, 's aithne dhomh glan,
nàdar d' iarrtais, d' ealain
air nach toireadh fìor phrìs,
ach aithneachadh.

A' tilleadh a-rithist, mu oir a' chraicinn
a bheir fianais dhìot nam fochair,
is làthaireachd do shliochd,
air an tìr seo, fad nan làithean a dh'fhalbh.

Black Trumpet

After the Westminster Tournament Scroll,
in memory of John Blanke

Rolled up
and archived through time,
experts have returned
to the sixty feet of the spectacle,
so as to ponder and dissect it –

There you are, out front,
trumpet in mouth and your cheeks,
filled almost as much with your pride
as with your breath, blowing fanfare.

The young king's haughtiness and his wife,
the queen, bedded in, still
in her new maternity,
in the days following the new year.

Gilding and primary colours -
the grey and yellow of your livery
and your head, entwined with
silk – perhaps – it was green
and adorned with gold.

Your likeness has not withered with the age,
and neither has your worth,
which you stood yourself in writing -

the said Reward to your said servant
from the fyrste day of December last passed
during your moost gracious pleasure
which wage of xvi d by the day

In that, I know too well
the like of your request, your art
on which no true price could be placed
but acknowledgement.

Returning, again, at the edge of the parchment
that evidences not only your proximity to them
but the presence of your people,
in this land, all days thereafter.

Na neach-thrompaid rìoghail ann an cùirtean Eanraig VII agus Eanraig VIII, 's e John Blanke fhathast an t-aon Tudor Dubh dha bheil ìomhaigh aithnichte againn. A' frithealadh dà rìgh, chunnaic e agus chuir e ri cuid de na h-amannan as fheàrr ann an eachdraidh Shasainn. Coltach ri mòran de luchd-ealain, cha robh e a' faireachdainn gu robh na sgilean aige air an làn phàigheadh - rud a tharraing e gu aire an rìgh fhèin.

A royal trumpeter in the courts of Henry VII and Henry VIII, John Blanke remains the only Black Tudor for whom we have an identifiable image. Serving two kings, he witnessed and contributed to some of England's greatest moments in history. Like many artists, he didn't feel his skills were fully remunerated - something which he brought to the attention of the king himself.

Seallagan Òige an Rìgh

To princes als it is ane vyce,
To ryd or run over rakleslie,
Or aventure to go on yce,
Accordis nocht to thy majestie.

- William Stewart

Son port estoit royal, son regard vigoureux
De vertus, et de l'honneur, et guerre amoureux
La douceur et la force illustroient son visage
Si que Venus et Mars en avoient fait partage

- Pierre de Ronsard

An Sruighlea, b' iad ficheadnar na lìbhre
rinn fhaire is, fo rùn is soireann aimsire,
fhuair cuidhteas fhòirnearan gus a dhìon.
B' iad bàird thug dha foghlam dian air lèan
a liùchairt, 's e gun dìth air tànaiste.

Fad eang a thillidh, sgal trompaid is seòma,
is an Lìte ri spòrs, a' caitheadh gatha
an cuideachd na cùirte, le eich fo shrian,
ghlacadh seallagan òige an rìgh.

Ri seinn is tric ri cluich na liùite,
dh'èist e ceòl grinn na h-ailt-fhìdhle,
aig bannal Eadailteach na rian,
thaitinn e dàin is a ròicean foirlìon.
Le toighe shùilean rosgach is loban ruaidhe,
ghlacadh seallagan òige an rìgh.

Tha an dàn seo ann an riochd Rondeau, *riochd as fheàrr le bàird an Ath-bheothachaidh, na Frangaich Charles d'Orleans agus Clement Marot agus an Sasannach Sir Thomas Wyatt. Chaidh an cruth seo a thaghadh airson a bhith a' nochdadh sùil shealadach Sheumais eadar an* Auld Alliance *agus na fasanan Sasannach a b' fheàrr leis, gun teagamh air sgàth a mhàthar.*

Glimpses of the Young King

To princes als it is ane vyce,
To ryd or run over rakleslie,
Or aventure to go on yce,
Accordis nocht to thy majestie.

- William Stewart

Son port estoit royal, son regard vigoureux
De vertus, et de l'honneur, et guerre amoureux
La douceur et la force illustroient son visage
Si que Venus et Mars en avoient fait partage

- Pierre de Ronsard

In Stirling, watched over by twenty in his livery,
secluded in fair weather, they stood his surety
and quit the place of intruders.
Kept at the books by his bards upon the lawns
of his palace – no need for a regent.

To mark his return, a fanfare of trumpets and shawms,
and taking diversion in Leith, throwing his spear
amongst the court, with his horses bridled,
they caught glimpses of the young king.

At song and playing the lute,
he partook of the music of his viol consort
of Italians – organised at his pleasure,
he enjoyed poetry and plentiful revels.
Noticing his hooded eyes, his shock of red hair,
they caught glimpses of the young king.

The original Gaelic is in the form of a Rondeau, favoured by Renaissance poets, the Frenchmen Charles d'Orleans and Clement Marot and the Englishman Sir Thomas Wyatt. This form was chosen to reflect James' wavering eye between the Auld Alliance and the English fashions he preferred, no doubt due to his mother. The English version here is provided as a gloss, to offer the meaning alone.

Aghaidh ri Aghaidh

The most notorious woman on all the western coasts, a notable traitress and the nurse of all rebellions in the province for forty years.

- Gráinne Ní Mháille a rèir an Tighearna is Tànaiste Sir Eanraig Sidney na Gaillimhe

Ochd ceistean deug air am freagairt -
sgrìobh i a sìol is a sliochd, gach ainm
fon aon chinneadh air a nasgadh
ris an talamh, is an fhairge,
dhe am bu i banrigh.

Bu siud a cead siubhail, a long fo sheòl,
a' builgeadh an aghaidh oiteagan Chuan Mó,
agus ghèill i dha ròiseal,
oir b' aithne dhi na h-uisgeachan a' ruith
seachd timcheall Èireann,
gach uamh,
gach geodha -

Ach b' ann leis an turas seo,
a' dh'fhòghnadh còmhradh seach fòirneart,
feachd dhith fhèin, a-mhàin.

B' aithne dhi an dùbhlan -
bhith na boireannach aig an stiùir,
a' rèiteachadh fìrinn is breug nam fear,
mar roc ròpannan air deic.

Le craiceann a' bhuinn ris a' bhathais,
agus, an cainnt an Dhè,
chuireadh i an cèill, aghaidh ri aghaidh.

Face-to-face

The most notorious woman on all the western coasts, a notable traitress and the nurse of all rebellions in the province for forty years.

- Lord Deputy Sir Henry Sidney of Galway of Gráinne Ní Mhaille

Eighteen questions answered –
she wrote her lineage, each name linked
in kinship and bound
to the land, the sea
of which she was queen.

This was her license to embark, her ship under sail,
bulging against the zephyr of Clew Bay,
and she succumbed to its impetus,
as she knew the waters running
seven times around Ireland,
each cave,
each cove –

But it was on this occasion
instead of force, only conversation
would avail, and she an army of one.

She knew the bind -
being the woman at the steer,
disentwining truth from the lies of men,
like a tangle of ropes on deck.

She'd take it head on, and,
in the language of the divine,
express herself, face-to-face.

San t-Sultain 1593, choinnich a' Bhanrigh Ealasaid I agus 'Banrigh nan Spùinneadairean' aig Caisteal Greenwich. Cha robh Gàidhlig na h-Èireann aig Ealasaid agus cha robh Beurla aig Gráinne. Mar sin bhruidhinn iad sa Laideann. A rèir beul-aithris, bha na cùirtearan Sasannach air an uabhasachadh nuair a shèid Gráinne a sròn a-steach do neapraig mus an do thilg i dhan teallach i. Mar a dh'ionnsaich Ealasaid, bhathas den bheachd gun robh neapraigean air am meas salach ann an Èirinn agus chaidh an sgrios, mar chleachdadh. Chaidh an dàn seo a bhrosnachadh leis a' chlàr dhrùidhteach le Shaun Davey agus Rita Connolly, a bhios gu bràth a' cur nam chuimhne saor-làithean teaghlaich ann an Contae Mhaigh Eo, fear dhe iomadh leithid a bh' againn anns na naochadan.

In September 1593, Queen Elizabeth I and the 'Pirate Queen' met at Greenwich Castle. Elizabeth spoke no Irish and Grace spoke no English, so they conversed in Latin. According to folklore, the English courtiers were shocked when Gráinne blew her nose into a handkerchief and then threw it into the fireplace. As Elizabeth learned, used handkerchiefs were considered dirty in Ireland and would be destroyed. This poem was inspired by the seminal album by Shaun Davey and Rita Connolly, which will always remind me of a family holiday in County Mayo, one of many such we had in the nineties

Seachd is Leth-cheud Leòn

As first hes takin our houss slane our maist speciall servand in our awin presence & thaireftir haldin our propper personis captive tressonneblie, quhairby we war constrainit to escaipe straitlie about midnyght out of our palice of halliruidhouss to the place quhair we ar for the present, in the grittest danger feir of our lywis & ewill estate that evir princes on earth stuid in.

- Màiri, Banrigh nan Albannach,
ann an litir do Bhànrigh Ealasaid Shasainn

B' e Dàibhidh thog an liùit an là
a ghabh na mnàthan-uasal tràth –
o thugadh i cruinn na seòmar-chùil
is fealla-dhà 'n co-imeachd ciùil,
le cairtean-cluiche anns gach làimh,
b' e òran Dhàibhidh a lìon an àil',
an cochall sòigh a sàimheachd grinn,
air fleòdradh measg nan cnodach-cinn.

Ach 's Dàrnlaidh thàinig 's bhris an sìth,
le ùranachd an laochain rìgh,
an cuideachd brùid' an Ruadhanaich,
a dhùisg an eagail sgreuchaich,
chuir casg air biolachan bha binn,
ga greimeachadh le falt a rinn
is shràc iad bhuaip', sginn iad dhan làr
an duine bha na fhàth do 'n àr.

B' i Bhànrigh dh'fheuch dha dhèanamh cobhair
ag èirigh airson strì fa chomhair
is sin na sgiort rinn falach-fead,
gun socrachadh is leig e sgread
ro bhiodagan 's na lannan geur,
b' iad shàth e sin, seachd 's leth-cheud uair.
B' e eucoir bàrr thoirt air a theòr,
gun teannachadh oirr' faisg gu leòr.

Fifty-seven Wounds

As first hes takin our houss slane our maist speciall servand in our awin presence & thaireftir haldin our propper personis captive tressonneblie, quhairby we war constrainit to escaipe straitlie about midnyght out of our palice of halliruidhouss to the place quhair we ar for the present, in the grittest danger feir of our lywis & ewill estate that evir princes on earth stuid in"

- Mary, Queen of Scots,
in a letter to Queen Elizabeth of England

It was Davie picked the lute and played
as the ladies took their meal that day –
all gathered, there, in her bedroom,
diversions with a minstrel's tune
and playing-cards in each hand,
'twas Davie's song, the ambience
adrift amongst each jewelled head-dress,
cocooned them in their opulence.

But Darnley came, their peace now tinged
with the parvenu of would-be kings
and Ruthven's brutal company,
awoke in them their startled screams,
suspended melodies once fair
and there they seized him by the hair
to cast him from them, on the floor,
the man on whom they would make war.

It was the queen came to his aid,
rose to her feet against the fray
and, in her skirts, he tried to hide,
collapsed, in desolation of his cries,
their hatred whetted, dagger-bladed,
he fifty-sev'n times lacerated.
His crime was calling noble bluff,
of being too close, not close enough.

Chaidh an dàn seo a sgrìobhadh ann an cruth ceithir-iambach, cruth a chleachd Crìsdean Marlowe, duine eile ris an cante co-sheòrsach is a chaidh a ghonadh gu bàs. Sgrìobhadh e ann an leathrannan gaisgeil, traidisean a' dol air ais dhan litreachas as sine.

This poem is written in iambic tetrameter, a form favoured by Christopher Marlowe, a man also presumed to be homosexual and stabbed to death. It is also written in heroic couplets, a tradition going back to our earliest literature.

Leth-bhreacan

In this little thing I saw three properties. The first is that God made it. The second that God loves it. And the third, that God keeps it.

- Julian of Norwich, Revelations of Divine Love

Paisgte fo aodach curs
an èideadh dhuibh,
shiubhail e leotha,
an làmh-sgrìobhainn
nach nochdadh a chaoidh
ach ann an earrann
nan leabhraichean-ùrnaigh,
foillseachadh diadhaidh,
ciad litreachas nam ban,
gach leth-bhreac sgrìobhte
le gob dathte cleite.

Cha robh Gertrude More, a bha de shliochd an Naoimh Sir Thomas More, ach seachd-deug nuair a shiubhail i gu Cambrai san Fhraing gus a dhol an sàs ann an Clochar Bhenedictine, an sin. Thathas a' creidsinn, leis an turas seo, gur dòcha gun robh i fhèin agus a' bhuidheann air aon den na lethbhric a-mhàin de làmh-sgrìobhainn Julian de Norwich a thoirt leotha. Tha leth-bhreac sgrìobhte le làimh fhathast ann. Nuair a dh'fheuch na h-àrd-cheannardan fireann aca ann an clochar na Frainge ri ceansorachd a dhèanamh air leabhraichean san leabharlann aca, dhiùlt iad na leabhraichean aca a thoirt seachad.

Duplicates

In this little thing I saw three properties. The first is that God made it. The second that God loves it. And the third, that God keeps it.

- Julian of Norwich, Revelations of Divine Love

Furled under the rough fabric
of their black vestments,
it traveled with them,
the manuscript
that would not emerge
but as extracts in
their prayer-books,
the divine revelation,
that first woman's prose,
every copy written
with the inked nib of a quill.

Gertrude More, a descended of Saint Sir Thomas More, was only seventeen when she traveled to Cambrai in France to join a Benedictine Convent, there. It is believed that, undertaking this journey, she and the party may have smuggled one of the only copies of Julian of Norwich's manuscript. A hand-written copy survives there. When their male superiors in the French order attempted to censor volumes in their library, they refused to hand over their books.

Smior Fhiaclan

Mar chuimhneachan air
Màiri nigh'n Alasdair Ruaidh

Beul fodha fo leac liath Chladh Chliamhainn,
cuiridh smior d' fhiaclan an stoc an talamh a
dh'iadhas thu, far am fàs feur, far am bris gach
clach 7 tùr na h-eaglais, o làr mar chàireas lom -

Cailis don fhàire. Sin, far an d' righeadh thu,
mar a dh'iarr thu fhèin, d' eirmse, d' fhaclan
ag àrach gach feòirnean, a' cur crith fo rùsg
na cruinne, eadar Ròghadal 7 Dùn Bheagain.

Chaidh iarraidh orm le Hugh McMillan an dàn a sgrìobhadh airson a' phròiseict Dead Guid Scots *far an do sgrìobh gach bàrd dàn de dhà cheathramh gach fear, mar chuimhneachan air cuid a bha airidh air moladh is aire. Cò nas fheàrr na Màiri nigh'n Alasdair Ruaidh? A rèir seanchais dh'fheuch an ceann-cinnidh aice casg a chur air a cuid rannaigheachd, taobh a-staigh is a-muigh a' taigh aige. Le sin, sheas i aig an stairsnich, a' sealltainn dha nach cuireadh fear sam bith stad air a bàrdachd.*

Quick of Teeth

In memory of Mary MacLeod

Face-down below a gneiss slab in St Clement's,
the quick of your teeth enriches the soil
encasing you, where the pasture, the stone,
the church tower, erupt as from an empty gum -

A chalice for the sky. There you remain, lain,
as per your request, your wit & words
nourish every blade of grass, quiver under
the earth's crust, from Rodel to Dunvegan.

I was asked by Hugh McMillan to contribute a poem to the Dead Guid Scots project, *where each poet wrote a poem of two stanzas of four lines, in memory of someone worthy of praise an attention. Who better than Mary MacLeod? According to legend, when her chieftan forbade her from composing poetry either inside or outside his homestead, she stood at the threshold and did it anyway. This showed him that no man could make her stop making poetry.*

Ruith Ruadh

Abhainn ghorm, smuairean
ga bhàthadh san t-sruth dhomhainn,
dì-bhallachadh laochairean
am blàr catharra dìomhainn.

Èirinn brùit' na luaithrean,
ri linn cog tìr an leòmhainn –
fuil ghunnairean 's phìcearan
an ruith ruadh den abhainn.

Chuir Blàr na Bóinne car ann an eachdraidh gach dùthaich nar n-eileanan seo. Sgrìobh mi seo mar chuimhneachan air gach duine a chaidh a mharbhadh ri linn aimhreit an ainm creideimh bhon shin a-mach. Chaidh a sgrìobhadh an cruth Seann-Ghàidhlig Ae Fleislighe.

The Battle of the Boyne shaped the history of all the countries in our islands. I wrote this in memory of all who have been killed as a result of violence in the name of religion. The original Gaelic is written in the Old Gaelic Ae Fleislighe form. The translation is provided here as a gloss.

Sruth Rua

Aistrithe le Marcas Mac an Tuairneir
Owerset bi Richard Huddleson

Blae wàtter, greatheairtit
happed up in thon deep river-flowe,
laochra leonta
i gcogadh cathartha gan chiall.

Airlan bruised an' bruint oot
bi thon land o the lion's rair –
fuil muscaedóirí is fir phící
i sruth rua na habhann.

Russet in the River

Blue river, sorrow
subsumed in the deep flow,
warriors dismembered
in a futile civil war.

Ireland bruised and ashen
through the land of the lion's war –
the blood of musketeers and pikers
flowing russet in the river.

Fo Phràmh

Às dèidh Aonghais MhicNeacail,
mar chuimhneachan air mairbh Chùl Lodair

Sin iad nan laighe, ri linn na tìm,
beul-fodha, feadhainn dhiubh,
feadhainn eile, sùil-fhosgailte,
ro ùir gun chaochladh.

'S iad tha air car nan ràithean a chluinntinn,
caoineadh bhan ann an gaoir na gaoithe,
sgleogaireachd cloinne, a' lainnireadh
ann am boinnean driùchd madainn Earraich

Agus fhad 's a tha fabhradh gach teanga
an t-saoghail air teàrnadh air an làraich,
is gach ceum air a trèorachadh gus
meòrachadh air an uabhas, a dhìleab

'S e blas-cainnt nan Sasannach a bhriogas
druma na cluaise, bruidhinn leasachaidh 's na
dhèanadh dhen tìr rinn an àrach, an dìon,
agus a dh'fhilleas iad 's an sìor-shuain.

Nàile, 's sin chuireas crith an cuirp a bha
fo phràmh, fon fhòid, oir is cladh a tha seo
o chionn gairm dheireannach an ratreuta.

Night-sleep

After Aonghas MacNeacail,
in memory of the dead of Culloden

There they lie, through time,
some face-down,
others open-eyed,
before the undying soil.

They who heard the twist in the seasons,
the women, howling in the wailing wind,
the chattering of children, glinting
in the dewdrops of a spring morning

And as every language of the world
has swirled into descent upon the site,
each footstep led in meditation
on the horror, its legacy

It is a Saxon accent that pricks the eardrum,
talk of development, what could be made of
the land that upheld and protected them,
only to enfold them in their eternal repose.

Yes, it's that which causes corpses
to shudder through their night-sleep,
under sod – as this place has been
a cemetery since the last retreat was called.

Tha e doirbh meud an uabhais a chaidh fhàgail le Blàr Chùl Lodair a chur ann an gainnead loidhnichean, ach gach turas a bhios mi a' beachdachadh air seo, bidh mi a' tilleadh gun dàn ghoirid aig Aonghas Dubh. Chaidh mo mhaslachadh nuair a fhuair mi a-mach gun robhas a' beachdachadh air togail air an làraich – dhòmhsa dheth bu chòir fhàgail oir is cladh e is an talamh naomh.

It is difficult to sum up the extent of the devastation left in the wake of Culloden. When I think of the atrocity, I always return to a short poem written by Aonghas MacNeacail. I was appalled when I found out about plans to build on the site – for me, it is a cemetery and sacred ground.

Craiceann na Banrigh

Às dèidh Allan Ramsay agus
portraid na Banrigh Teàrlag.

Fàthach na linne th' air a h-aodann,
a portraidean gan tionndadh, car mu char,
ann an uinneagan-coimpiùtair fosgailte,
gus iomadachd a coltais a sgrùdadh,
mu seach.

Thèid na piogsailean a sgapadh,
gach smiùr Ramsair mar chlòimheag ite,
'S do gach tè dhiubh a lìth

Ach, le ais-tharraing a chorrag
agus buillsgean a dhathan
fo fhòcas giorrachadh cearcall na sùla.

Togar òrdag gus a sròn a thomhas,
le cleas an neach-ealain
a rèir làmh na bruise

Agus ceist, fhathast,
a bheil a leathannachd,
sult bàn-dhearg a bilean,
nan dìleab de a ginntinneachd.

A' bhoinneag datha
a chuireas an ìomhaigh ri crith,
so-fhaicsinneach, is dòcha,
fo fhùdar gheal a craicinn.

The Skin of the Queen

After Allan Ramsay
and the portrait of Queen Charlotte.

Time converges upon her face,
her portraits turned, over and over,
in desktop windows, opened
to inspect her variance,
her likenesses, in series.

The pixels dilated,
each of Ramsay's marks, a feather's vane,
for each fibre a shade

But, as the finger retracts,
his colours coalesce
focussed by the iris' contraction.

A thumb is raised to gauge her nose,
with the sleight of the artist's hand
against the brush, its handle

And a question, yet,
over its width, whether
the pink plumpness of her lips,
might reflect her heredity.

The solitary drop of pigment
that sets the image aquiver,
unhidden, perhaps, underneath
the white powder of her skin.

Le aire an t-saoghail air an iomairt Black Lives Matter, *mar bu chòir as dèidh murt George Floyd, ann an 2020, thionndaidh mòran dhan eachdraidh againne, a' lorg fianais dreuchdan nan ciad dhaoine Dubha. Chaidh m' fhàgail mì-chofhurtail nuair a sgrùdadh portraidean na Banrigh Teàrlag airson feartan a dualchais Mhosarabaich, ach 's fhiach sgrìobhadh air na dòighean as miosa a bhios sinn a' dèiligeadh ri eachdraidh gus an tuig sinn seo uile nas fheàrr.*

With the world's attention justifiably focused on the Black Lives Matter *movement following the murder of George Floyd, in 2020, many turned to our own history to unearth the contributions of Black people. I was left uncomfortable by the scrutiny brought upon portraits of Queen Charlotte, in search of the markers of her Mozarabic ancestry, but it is worthwhile writing about how we approach history in order to understand it all better.*

Doileag

The Bearer Lieut Soirle McDonald of the British Legion has permission to take with him a negro woman named Doll [?] being the property of his Daughter Mary and brought from Nth Carolina with his family'.

- Litir air a cho-sgrìobhadh air 26mh a' Ghiblein, 1783, aig Oifis a' Chomandant le G. Williams, Màidsear a' Bhragàid, Eabhraig Nuadh, a tha a-nis fo shealbh Am Baile.

Cha b' urrainn dha bhith beò gun i,
Doileag chòir rinn cobhair a dh'ìghn' –
an do chùm i a còta-bàn cho grinn,
's gun nigheadh i a lèine?

Le litir sgrìobhte gun àrd-cheann
is dleastanas na h-ìghne-thràill,
an robh e fìor no an d' rinn e uaill
's gun toireadh dhi deagh bheatha?

'S e gheibheadh cead a toirt dha thìr,
o phrèiridhean, gun dìle glinn
an do shuaith i bhòtannan le lìomh
's gum faiceadh e a ghnùis annt'?

Ach fhuair e freagairt sgrìobht' le làmh,
le sin thuig Doileag bheag a dàn,
gu Eilean Sgitheanach nam beann,
a dheigheadh i le maighstir.

Cha b' urrainn dha bhith beò gun i,
Doileag chòir rinn cobhair a dh'ìghn'
an do chùm e dlùth i 's bean a dhìth,
ach còrr a sgeòil gun fhiosta?

Doll

> *The Bearer Lieut Soirle McDonald of the British Legion has permission to take with him a negro woman named Doll [?] being the property of his Daughter Mary and brought from Nth Carolina with his family'.*
>
> *- A letter countersigned on 26th April, 1783, at the Commandant's Office by G. Williams, Major of Brigade, New York, now in the posession of Am Baile.*

He could no longer live without her,
dear Doll, who was his daughter's aid –
did she keep her petticoats so pristine,
that he'd have her wash his shirts?

With a letter written to his superior,
containing the responsibilities of his slave girl,
did he tell the truth or did he boast
of giving her a good life there?

He'd get permission to take her overseas,
from the prairies without glenside rain,
would she buff his boots with such a shine
that he could see his face in them?

But he got a hand-written reply,
and with that Doll knew her destiny
was the Isle of Skye, its mountains high,
where she went with her master.

He could no longer live without her,
dear Doll, who was his daughter's aid –
did he keep her close in lieu of a wife
and the rest of her story a secret?

Seo bàrdachd thraidiseanta air fhonn Dhùthaich Mhic Aoidh. Mu dheireadh an fhicheadaimh linn thòisich sgoilearan a bhith a' coimhead air eachdraidh is cultaran na h-Alba, na Cuimrigh is na h-Èireann tro phriosam teòirig iar-cholonaich. Dh'fhàg sin ceistean aig cuid an robh sin iomchaidh, leis gun robh daoine nan eileanan seo an sàs ann an colonachd thall thairis, ged as mòr a' bhuaidh air coimhearsnachdan ar mion-chànanan an seo, cuideachd.

Traditional poetry to the tune of Dùthaich Mhic Aoidh. The translation is presented as a gloss. Towards the end of the Twentieth Century, scholars began to revisit the history and cultures of Ireland, Scotland and Wales through the framework of postcolonial theory. This left questions for many, believing this to be inappropriate, considering the role of the people of these islands in colonialism, abroad, notwithstanding the impact on our minoritised languages and their communities.

1792

Air oidhche ar fuadaich,
chuir mo mhàthair am bìoball
aosta am màla carrach,
paisgte an arasaid a cloinne
a thàinig dha màthair, bho a
màthair 's a màthair-se.

Chuir i cùl
ri baile Bhadbeithe,
far an dèanadh ar cinneadh
ar n-àrach
an croitean chaorach
is air na creagan,
far an do cheangail i
an sprèidh ris na clachan.

Far an do sheinn mo sheanmhair
cumha eilthireachd ùr -
na Gàidheil
fo làimh làidir
luchd-uasal
is ar meòirean leònte gun smìor.

Bho iomall ar saoghail,
leis na taighean togte
le bulbhagan na sgìre,
chuala gach croitear is iasgaire,
aon ghuth fo èislean,
ri sgeòil
Antaiginis.

Bliadhna nan Caorach -
gach lorg ar muinntire
ga spìonadh à bun.

Thionndaidh i thugam,
a' togail mo làmh is ag ràdh:
"Thig a m' eudail
is eilthrich an t-àite seo.
Cùm sùil ris an Iar.
Cuir fàilte air
gairm a' chuain."

1792

On the night of our clearance,
my mother placed the old bible
in a rough sack,
wrapped in the arisaid of her clan,
come to her mother from her mother
and her mother, before her.

She turned her back
on the township of Badbea,
where our kindred
sprung forth,
from crofts of ewes
and on the cliffs,
where she fixed
her flock to the rocks.

Where my grandmother sang
elegy to fresh emigration -
for the Gael
under the oppression
of the gentry
and their fingers injured to the marrow.

From the edge of our world,
with croft houses constructed
from the sarsens of the land,
every crofter and fisherman
heard the same voice of grief,
foretelling
Antigonish.

The year of the sheep –
every trace of our people,
eradicated.

She turned to me,
taking my hand, and said:
"Come, my love,
and leave this place.
Keep your eye to the west,
and embrace
the request of the waves."

Seo dàn ann an sreath de bhàrdachd a thòisich le comharrachadh fuadach Iùdhaich Girona ann an 1492 is a ghlèidh duais na Bàrdachd aig Seòmar Litreachas na Gàidhealtachd. Tha a' bhàrdachd bhon t-sreath a tha san leabhar seo a' tòiseachadh le fuadach nan Gàidheal a bhios a' tachairt fhathast le rudan leithid AirBnB, is bacaidhean gan cur ro òigridh Ghàidhealach a cheannaicheadh taighean nan sgìrean aca fhèin

This poem is one in a series begun with an account of the 1492 clearance of the Jews of Girona, which won a poetry prize with the Highland Literary Salon. The poems from the sequence, published in this book, begin with this about the clearance of the Gaels – something which is still happening thanks to phenomena like AirBnB, which continue to prevent young Gaels from buying houses in their own communities.

Ìomhaigh Abaid Llandewi

às dèidh Joseph Mallord William Turner

Thig an abaid an uachdar,
tron lionnach thuirc-ghorm,
mar a dh'fhàgadh sgiath crainn-lacha,
sgàil thar bàrr a' phàipeir.

Ma coinneamh,
chìthear a ballachan,
glacte eadar tairnealaich baideil,
gàth bùirn is coip, gam fàgail leis a' bhàine
eadar gach slìog na bruis.

Seo mar a chunnacas i,
o chuireadh a fhrioghain ris an dath,
an uair mu dheireadh a chùlaich e i,
gus an tioramaicheadh e i fo ghath.

Còrr is dà cheud bliadhna na dhèidh,
air an telebhisean, bheirear fianais -
ballachan an tobhta air an lùghdachadh,
mar a chrìonas iad a rèir na tìm
is iad nan slige a ghlèidheas sealladh chnocan,
a nì èirigh sèimh ri builgeadh an fhànais.

Air an là a nochd a' chamara,
cha b' e mòralachd nam beanntan,
a chruthaich an neach-ealain,
ach na liosan, sìor-uaine is slìom,
a bha nan creathal don alltan,
ri dìon-shruth cearcall an uisge.

'S iomadh euchd ealain a tha air mo bhrosnachadh bàrdachd a dhèanamh. Thug an dealbh seo orm coimhead air an fhearann ann an dòigh a bha ùr dhòmhsa.

Portrait of Llanthony Abbey

after Joseph Mallord William Turner

The abbey emerges,
through the aquamarine wash,
as if cast under a teal-wing shade
across the rag-paper's ground.

Before it,
we are witness to its walls,
caught between the swirl of clouds,
the freshwater surge and foam,
in the voids left – blank –
between each brushstroke.

This is how it was seen,
before the bristles of his brush
last pricked the dye
and it was abandoned
to dry under sunlight.

Two hundred years and more in his wake,
the television brings forth evidence -
the ruined walls diminished,
crumbled against time,
a shell now encases a glimpse of the hills,
gently rising with the billowing skyline.

Upon the arrival of the camera,
it was not the mountains
of the artist's grandiose creation,
but the parkland, sleek and evergreen,
which cradled the stream,
running the water's interrupted cycle.

Many works of art have inspired me to make poetry. This painting challenged me to re-see the land in a way new to me.

Làrach nan Eabhrach

Mar chuimneachan air a' chiad cho-thional Eabhrach ann an Dùn Èideann

הכרבל קידצ רכז

Ann an cul-de-sac air Sràid Àdhaimh,
chan eil sgeul air tùs ur n-adhraidh
ach tobht balla na aonar,
lasair bhreicean ciar-ruadha, ag èirigh
eadar clachan na sgìre,
mun làraich far an do chuireadh
coinnlean ris an Ner Tamid.

Suas am Pleasance, a' coiseachd gu trasta,
a-steach dha na Sciennes, ghabh sinn fois
mu àite-tàimh ur ciad cho-thionail.
Morghan fionna nan slèibhtrich air an raon,
bha cuid – ur daoine teaghlaich, is dòcha –
air cuimhneachadh a dhèanamh dhibh,
le molagan is buinn a' meirgeadh air na leacan.

An geata dubh glaiste, cha ghabhadh a-steach
gus ur n-ainmean is beannachdan,
snaidhte ann an caractaran Eabhrach
air na carraghan a leughadh -
cànan air chall don chathair-bhaile,
a mhuinntir,
ach ur cladh fo fhionnaraidh Earraich,
ur n-ùrnaighean gun bhuaireadh an t-sluaigh.

Shpurn fun Shprakhn, Shalom Aleichem
Owerset bi David Bleiman

גרובנידע ןיא סלוע רעשיאערבעה רעטשרע רעד ןופ קנעדנא ןיא
הכרבל קידצ רכז

Aff Adam Street, vos aince gefirt tsu andern gas,
nae shpur o youse wha davened here,
bit anely rummle fun a vant, aa anerley,
mit brenendike royte flamen reyzing
amang di shteyner fun di gegnt,
i these pairts whaur youse aince
habn lit di caunle's eybige licht.

Alang the Pleasance, dyagonal durchshnit
tae Sciennes, we hovered
whaur ale mentshn—rebbe, trebbler, bubele—tak rest.
Chingle strinkelt ower the grun,
some sowls, mebbie yer ain kindskinder,
hae stelled nae funeral cairn bit chuckies,
whaur bawbees rust oyf aa thae lairstanes.

Der shvartse yett, lockfast farmacht,
we cuidna read yer names an mitzvot,
aa scrieved in Aleph Beth
oyf ale shteyner.
Hebreish gane, di mamaloshen oych,
hit's aa oor loss,
bit here, yer graveyaird, aye noch fridlech,
bahaltn unter friling's Nisan gloamin,
nae kraudz can breenge intae yer shtumme minyan.

Hebrew Traces

In memory of the first Hebrew Congregation in Edinburgh

הכרבל קידצ רכז

In an Adam Street cul-de-sac,
no trace of the origins of your worship
but the ruins of a singular wall,
a flame of sable brick, rising
amongst the rocks of the region,
near the site where you held
the taper to the Eternal Flame.

Up the Pleasance, cutting diagonally
into the Sciennes, we paused
by your congregation's first place of repose.
Shingle strewn across the ground,
some soul – your own descendants, perhaps –
had, in your memory, placed pebbles,
where coins now rust upon the headstones.

The black gate locked, we could not enter
to read your names and blessings,
etched in Hebrew lettering
upon the burial slabs –
a language lost to this capital,
                                        its peoples,
but your cemetery, ever peaceful,
concealed under the Nisan gloaming,
your prayers undisturbed by the multitudes.

Tron ghlasadh-shluaigh ann an 2020, chuir mi fhìn is Iosua romhainn eòlas ùr a chur air a' bhaile againn, le bhith a' coiseachd nan sràidean. Cha robh fhios againn, mus d' rinn mi rannsachadh, air eachdraidh chliùteach na coimhearsnachd Iùdhaich ann an Dùn Èideann. Thug oirnn sealladh a' chiad chladh aca, faisg air na Sciennes, sin a dhèanamh. Tha làrach a' chiad theampaill air Sràid Àdhaimh, faisg oirnn air a' Phleasance.

Through the lockdown of 2020, Joshua and I decided to get to know our city once againn, through going on walks. We didn't know, until I did some research, about the laudable history of the Jewish community in Edinburgh. Discovering their first cemetary, near to the Sciennes, brought us that understanding. The site of the first synagogue is on Adam Street, near to us, off the Pleasance.

This translation recalls the loss of the Scots-Yiddish dialect, used in the home, as well as the Hebrew language used in prayer. Shalom aleichem, *peace be among you, is a common greeting, in Hebrew, adopted in Yiddish.* Rebbe, trebbler, bubele *are rabbi, travelling salesman, granny, representative of the lost community. The* aleph beth *is the Hebrew alphabet, from which the English word alphabet derives.* Mamaloshen *is Yiddish, the mother tongue. Friling, the Spring, is when the Jewish month of Nisan falls. A minyan, ten men, is the minimum required for a congregation.*

An Górta Mór

Deaths here are daily increasing. Dr. Donovan and I are just this moment after returning from the village of South Reen, where we had to bury a body ourselves that was eleven days dead; and where do you think? In a kitchen garden. We had to dig the ground, or rather the hole, ourselves; no one would come near us, the smell was so intolerable. We are half dead from the work lately imposed on us.

- Letter from Dr. Crowley, of Cork, to
The Illustrated London News, *30th January, 1847*

Thig gal a' chaoinidh air a' ghaoith,
a' meileachadh a' chridhe,
le tuar diachdaidh an èig,
gun mharbhphaisg.

Tòrradh glaistigean ghaoisnean liath,
na h-achaidhean gun sìol,
am baile taibhseach.

Guth a' cinntinn bhon fhòid ghaisidh,
an geamhradh a' dol an crònan,
na faileasan,
timcheall fàl caol na h-uaghach,
ag èirigh   a' sgapadh
a' toirt tuama don chinneach.

Chaidh an dàn seo a chur ri chèile tro dhubhadh às artaigil bho The Illustrated London News *den 30mh an Fhaoillich, 1847, mar a chaidh mìltean de dh'Èireannaich a dhubhadh às, cuideachd, ri linn An Ghórta Mhóir.*

The Great Hunger

Deaths here are daily increasing. Dr. Donovan and I are just this moment after returning from the village of South Reen, where we had to bury a body ourselves that was eleven days dead; and where do you think? In a kitchen garden. We had to dig the ground, or rather the hole, ourselves; no one would come near us, the smell was so intolerable. We are half dead from the work lately imposed on us.

- Letter from Dr. Crowley, of Cork, to
The Illustrated London News, *30th January, 1847*

The keen comes wailing on the wind,
it chills the heart,
a ghastly hue of death,
Shroudless.

Those grey hairs' gaunt procession,
the seedless fields,
the spectral town.

A voice spings from the blighted sod,
Winter joins the dirge,
the shadows
around the grave's narrow verge
rise, dissipate,
bring a nation her tomb.

This poem was put together through erasing parts of an article from The Illustrated London News *of 30th January, 1847, just as thousands of Irish people were erased, too, through the Famine.*

Dìleab na Stoirm

Sand-inundated archaeological sites are found in many areas of coastal Scotland, including the western and northern islands. The most famous of these is Skara Brae on the Orkney island of Mainland. This Neolithic Age, World Heritage Site was exposed in 1850 when coastal erosion uncovered the seaward-facing portion of the site.

– Daniel H. Sandweiss and Alice R. Kelley

Geamhradh 1850 – ràith nan stoirm,
agus dà cheudnar nan righe ron adhlacair,
dhùisg sibh co-dhiù nur n-iarlach eileanach,
agus an iongantas, ro sgàil reòthach na sùla.

Bu raoic na cruinne-mhàthar a chur crìth mun talamh,
an cnoc air ais-rùsgadh
mar phlaosg
cnòtha
chruinn
agus ùir-bhreathan air an taisbeanadh.

Le ur corragan, dh'fhidir sibh clàbar
o bheàrnan na clachaireachd,
gus an glanadh le sàl is bùrn
is cuidhteas fhaighinn
de dh'eabar aoise.

Nur dèidh,
bhris tonn-mhillidh clann-daonna
mobhsgaid,
creach,
trèigsinn,
mus do nochd cuid o Dheas,
chìtheadh luach tobhta
gun mhullach.

The Legacy of The Storm

> *Sand-inundated archaeological sites are found in many areas of coastal Scotland, including the western and northern islands. The most famous of these is Skara Brae on the Orkney island of Mainland. This Neolithic Age, World Heritage Site was exposed in 1850 when coastal erosion uncovered the seaward-facing portion of the site.*
>
> *– Daniel H. Sandweiss and Alice R. Kelley*

Winter 1850 – the season of the storms,
and two hundred laid out before the undertaker,
you awoke in your island jarldom
to a wonder, through the frosty glaze of the eye.

It was mother nature's roar sent shockwaves through earth,
the knoll peeled back
like the husk
of a nut,
rotund,
and the soil strata manifest.

With your fingers, you quit
the stonework's fissures
of their mire, to wash
away the sediment
of the ages with
seawater and
rain.

In your wake,
broke waves of human wreckage –
incompetence,
plunder,
neglect
until the advent of a man
from the south,
to ascertain the worth in a
roofless ruin.

Chaidh an dàn seo a choimiseanadh le Jim Mackintosh airson an duanaire Beyond the Swelkie, *a chaidh a chur ri chèile le Tippermuir Books mar chuimhneachadh air George Mackay Brown.*

This poem was commissioned by Jim Mackintosh for the Beyond the Swelkie *anthology, which was put together by Tippermuir Books in memory of George Mackay Brown.*

Còta Ioma-dhathach

Mar chuimhneachadh air na fir co-sheòrsach
air an geur-leanmhainn às dèidh
Achd Atharrachadh Lagh Eucoirean, 1885

Cha taghar an còta,
ach an corp, a dhiùltas
cuirp eu-choltach ris.

Mura tig an còta
dhan chorp,
chan urra chur umad.

'S e an còta fhèin
a chanas riut
nach aithne dha thu.

A' cleachdadh Earrann a 11 den reachdas seo – Achd Atharrachadh Lagh Eucoirean 1885 *– chaidh Oscar Wilde a chur am prìosan ann an 1895 airson gnìomhan 'mì-bheusa iomlain' a choileanadh le fireannaich. Theireadh 'The Blackmailer's Charter' ris air sgàth na dà-sheaghachd anns an reachdas a thaobh na bh' ann an gnìomh co-sheòrsach, san dà-rìribh. Bha e gu math furasta dubh-mhàl a dhèanamh air fireannaich a bha an sàs ann an gnìomhachd fearas-feise.*

Mish of Dowry Colours

In memory of the homosexual men, persecuted after the Criminal Law Amendment Act of 1885

It is not the omie
that lells the chemmie, but
the lucoddy that shuns the contrary.

If the chemmie nanti
joshes up the bod,
nix 3003 the chemmie.

It is the bod, no flies,
that cackles
nanti will it lell it.

Ths poem is written in Polari, a crypolect - a form of speech used to conceal the meaning - which was used by LGBTQ people and those working in theatres, during the many years where gay sex was criminalised across these islands

Coat of Many Colours

In memory of the homosexual men, persecuted after the Criminal Law Amendment Act of 1885

It is not for you to select
the coat, but for the body
to reject its reverse.

If the coat
does not fit,
it cannot be worn.

It is the body,
itself, that will
not accept it.

Using Section 11 of this piece of legislation - the Criminal Law Amendment Act 1885 - *Oscar Wilde was sent to prison in 1895 for committing acts of 'gross indecency' with men. It became known as 'The Blackmailer's Charter' because of ambiguity in the legislation about what constituted a homosexual act. Men who engaged in any homosexual activity were very easily blackmailed.*

Bana-sgoilearan

Mar chuimhneachan air ciad bana-cheumnachaidh Oilthigh Dhùn Èideann is do na boireannaich a gheibh soirbheachas ann, san là an-diugh.

Thug thu bhuat do speuclairean,
an dùil a sgrùdadh gun iompaidh -
sùil ùr air eachdraidh
ga cur mud choinneamh.

Bana-sgoilearan gan grinn-riaghladh
an loidhn' a rèir iarraidh
fhireannaich le lionsa.

Dhearc thu an seasamh,
sgeadaicht' an fiughair
dubh-is-geal Bhioctòirianaich.

Dh'fheuch mi rium ruathar
an sgiortan slaparach air Potterow –
tsunami do loidhne-ama fireannta.

Thionndaidh thu, beul-fosgailte
gog-shùileach le iongantas
às dèidh leughadh an coileanais,
earr-nòtaichte le ealain an athraichean.

Sgrìobh mi seo às dèidh dhomh a bhith ann am buidheann-ionnsachaidh ann an Prìomh-leabharlann Oilthigh Dhùn Èideann. Chaidh ar maslachadh leis an dòigh a chaidh na choilean na boireannach sgoinneil seo a chur an cèill, fiù 's ann an 2018.

Women Scholars

In memory of the first women graduates of Edinburgh University and to the women who find success there, today.

You took off your glasses,
presuming to see it without bias -
a fresh eye on the history
put to you.

Women-scholars, arranged prettily
in line and accordance
with the whim of man and his lens.

You observed their stance,
clad, black-and-white
in Victorian expectation.

I imagined the swoop
of their flowing skirts on Potterow –
tsunami breaks on a masculine timeline.

You turned, open-mouthed
and wide-eyed with surprise,
finding their achievements footnoted
with their fathers' professions.

I wrote this after being in a study group which used the University of Edinburgh's Main Library. We were astonished to see how these fantastic women's accomplishments were described, even in 2018.

Clò

dlùth *gainne* **cur** *foinne* **dlùth** bainne **cur** fàinne **dlùth** *featha*
e **dlùth** *foinne* **cur** bainne **dlùth** fàinne **cur** *gainne* **dlùth** *bea*
nne **dlùth** bainne **cur** fàinne **dlùth** *gainne* **cur** *foinne* **dlùth** t
ainne **dlùth** fàinne **cur** *gainne* **dlùth** *foinne* **cur** bainne **dlùth**
dlùth *gainne* **cur** *foinne* **dlùth** bainne **cur** fàinne **dlùth** *featha*
cur *gainne* **dlùth** *foinne* **cur** bainne **dlùth** fàinne **cur** *gainne* **c**
ne **cur** *foinne* **dlùth** bainne **cur** fàinne **dlùth** *gainne* **cur** *foinn*
inne **cur** bainne **dlùth** fàinne **cur** *gainne* **dlùth** *foinne* **cur** bai
bainne **cur** fàinne **dlùth** *gainne* **cur** *foinne* **dlùth** bainne **cur** f
h beurla **cur** *gainne* **dlùth** *foinne* **cur** bainne **dlùth** fàinne **cu**
ùth *gainne* **cur** *foinne* **dlùth** bainne **cur** fàinne **dlùth** *gainne* **c**
dlùth *foinne* **cur** *gainne* **dlùth** fàinne **cur** *gainne* **dlùth** *foinne*
e **dlùth** bainne **cur** fàinne **dlùth** *gainne* **cur** *foinne* **dlùth** teat
beurla **dlùth** *gainne* **cur** *foinne* **dlùth** bainne **cur** fàinne **dlùt**
r *gainne* **dlùth** *foinne* **cur** bainne **dlùth** fàinne **cur** *gainne* **dlù**
cur *foinne* **dlùth** bainne **cur** fàinne **dlùth** *gainne* **cur** *foinne* **d**
e **cur** beurla **dlùth** fàinne **cur** *gainne* **dlùth** *foinne* **cur** bainne
nne **cur** fàinne **dlùth** *gainne* **cur** *foinne* **dlùth** bainne **cur** fàir
ainne **cur** *gainne* **dlùth** *foinne* **cur** bainne **dlùth** fàinne **cur** *g*
h *gainne* **cur** *foinne* **dlùth** bainne **cur** fàinne **dlùth** *gainne* **cu**
ùth *foinne* **cur** *gainne* **dlùth** fàinne **cur** *gainne* **dlùth** *foinne* **c**

Tweed

dlùth	**warp**
gainne	*scarcity*
cur	**weft**
foinne	*wart*
dlùth	**warp**
bainne	milk
cur	**weft**
fàinne	ring
dlùth	**warp**
featha	moorland
cur	**weft**
beatha	life
dlùth	**warp**
teatha	tea
cur	**weft**
leatha	with her
beurla	english

Chumadh fonn ris an dàn lèirsinneach seo le Pàdruig Moireasdan is Orcastra Ocaideachadh Ghlaschu airson a' phròiseict a rinn sinn is a chaidh a sgaoileadh air loidhne anns an Dùbhlachd, 2019.

This visual poem was set to music by Pàdruig Morrison and the Glasgow Improvisors' Orchestra for a project which was broadcast online in December, 2019.

1907

Mar chuimhneachan air Pádraig Ó Cuinín,
Neach-teasairginn Choillte.

Air oidhche m' fhuadaich,
chuir m' athair paidirean nam làimh,
a bh' ann an làmh mo mhàthar
nuair rugadh mo bhràthair beag,
's e bha paisgte
an sreothan òig-aoin.

Chuir e cùl
ri cladach Choillte,
far an dèanadh ar cinneadh
ar n-àrach
air sreathan gainmhich
is snàthan peallach
na feamad,
deuraichte le siaban an Tàibh.

Far an cuala sinn èigheachd
sheòladairean nan eilthireachd –
Fraingich
An Léon XIII
a' dol fodha,
do chladh fliuch nam briseadh.

Leamsa do chidhe Chuíbh,
air chùl ciudha
dhaoine reangach is dubhach.

Chuala gach truaghan
aon ghuth fo èislean
ri ghearain
an acrais.

Cha bu mhise searbhant do nàbaidhean,
gach lorg ar muinntire
ga spìonadh à bun.

Thionndaidh e thugam,
a' togail mo làmh is ag ràdh:
"Thig a m' eudail
is eilthrich an t-àite seo.
Cùm sùil ris an iar.
Cuir fàilte air
gairm a' chuain."

1907

I gcuimhne Pádraig Ó Cuinín, Quilty Rescuer.

Ar oíche m'eisimirce,
chuir m'athair paidrín i mo lámh,
a bhí i lámh mo mháthar
nuair a saolaíodh mo dhearthair is óige, is é fáiscthe ina shlánú.

Chuir sé a chúl
ar chladach Choillte,
áit a ndéanadh ár gcine
ár neart
ar urlár gainimh
is snáitheanna gioblacha
na feamainne,
clúdaithe le cúr an aigéin.

An áit ar chualamar béicíl
mairnéalach ag éalú;
Francaigh
An Léon XIII
ag dul go grinneall
i reilig fhliuch an longbhriste.

Ar mo bhealach do ché Chóibh,
ar chúl scuaine
daoine dearóile, dubhacha.

Chualas gach bochtán
d'aon ghuth faoi dhobhrón,
ag gearán
faoin ocras.

Níor shearbhónta do chomharsana mise,
gach lorg dár muintir
stoite óna bhun.

Thiontaigh sé chugam,
ag tógáil mo láimh is ag rá:
"Tar, a chroí,
is éalaigh ón áit seo.
Coinnigh súil ar an iarthar.
Cuir fáilte roimh
ghairm an aigéin."

1907

In memory of Patrick Cunneen, Quilty Rescuer

On the night of my clearance,
my father placed the rosary,
that my mother held
as my baby brother
was born, swaddled
in the cawl.

He turned his back
on the coastline of Quilty
where our kindred
sprung forth
on a carpet of sand
and the matted skeins
of seaweed,
quenched by Atlantic spray.

Where we heard the wail
of sailors escaping—
The Frenchmen
of the Léon XIII,
asunder in the
shipwrecks' liquid grave.

I was for the quay at Cóbh,
behind the lank and
downcast queue.
Every wretch amongst us
heard the same grieving voice,
bemoaning
the shortage.

Not for me, to serve neighbours,
every trace of our people.
eradicated.

He turned to me,
taking my hand and she said:
"Come, my son
and leave this place.
Keep your eye to the West,
and embrace
the call of the waves."

Bha bràthair mo shinn-sheanmhar an sàs ann an sàbhaladh seòladairean an Léon XIII. Chaochail e ann am Bradford, Pennsylvania às dha e fhèin a thilgeil a-mach à uinneag anns an ospadal ann.

My great-grandmother's brother was amongst those who saved the sailors from the Léon XIII. He died in Bradford, Pennsylvania after defenestrating himself from a hospital window.

Màthaireachd

Do mo mhàthair

Mar a ghabh an neach-iùil fois,
ri taobh an taigh-eiridinn,
lean do shùil gluasad a làimhe
gu uinneag air an taoibh dheis.

This would have been the maternity ward,
ars e, 's do shùil a ghlac mo shùil-s',
air crith ann am mac-talla eachdraidh
nach do mhothaich ach sinn fhìn -
ar triùir - air làrach Dhún Chathail.

Gasan feòir uaine, gam buaireadh
le brìosan mara, feadhainn eile
air an saltairt ann an clais ceum
an casan fhèin.

Chaidh m' inntinn air ais
dha aithris, caismeachd raghan
's athair aig an ceann, ri èigheachd
òrduighean - *rank and file*.

Mo làmh a-rithist air cùl a chinn,
am beàrn air a shlànachadh,
far an d' fheuch mi toradh
a thuiteim bhon bhalla-mara,
's e ri fealla-dhà le bhràthair.

B' e saighdear bh' ann an Harry,
mar gum b' e sàirdseant-màidsear athair,
Thomas Spencer,
          esan John Patrick,
                    mise Mark John, às a dhèidh.

That is where my Dad was born,
in 1913, ars thusa, ag adhbharachadh
geur-anail Ameireaganach
fhad 's a chuala is thug iad fainear
gun do dhubhadh loidhne
air craobh ar teaghlaich is iad am
fianais dhùthchais fhìor.

'S e sgeulachd fhìor a tha seo. Rugadh mo sheanair ann an Dùn Chathail ann an 1913. Sgrìobh mi seo gus a leughadh aig tachartas air loidhne, ga chumail le Pádraig Ó Tuama.

Maternity

For my mother

As the tour-guide came to a halt,
beside the infirmary,
you followed the motion of his hand
to a window on the right.

This would have been the maternity ward,
he said, your eye caught mine,
shaken by the echo of history
that only we – our three – perceived
amidst the remnants of Charles Fort.

The blades of grass, stirred by the
sea-breeze, others trampled
in the hollow of their footsteps.

My mind wound back to
a tale related, marching rows,
his father out front, bellowing
his orders – *rank and file*.

My hand on the back of his head,
the void healed, I felt
the upshot of his fall from the
seawall, and his brother's
boyhood games.

Harry would be a soldier,
after his father, sergeant major
Thomas Spencer,
          he – John Patrick,
                    me – Mark John, after him.

That is where my Dad was born,
in 1913, you said, causing a sharp
intake of American breath, preceding
realisation that'd we'd emboldened a line
in our family tree, that they had,
themselves, witnessed true heredity.

This is a true story. I wrote it especially so I could read it at an online event, hosted by Pádraig Ó Tuama.

Catharra

It is quite impossible that I should return alive. [But] don't be grieved at my death, because I shall die arms in hand, wearing the warrior's clothes. This is the most happy death that anyone can die.

- Saighdear Sikheach air an t-Somme

Air leth, diùlannaich an Ear,
Ypres,
Flanders,
Afraga an Ear,
a' Phalastain,

An Èiphit,
Canàl Suez.
Sàr-ghaisgich..

Galar,
gusgal,
ionnsaighean-gas,

An ruathar,
gunnaichean *maxim*
Gun ach an turbanan gus an dìon,

An gruaig gun bhearradh,
air an deachdadh len cuid creideimh
ann an trannsaichean leadhraichte
loireach.

764 de dh'fhir
's iad air landadh san Fhraing,
ron t-Samhain 1914

Cha robh ach 385.

Ann an Gallipoli,
375 ann an gainnead mhionaidean,
Neuve Chappelle agus an Somme.

Leòmhainn Dhubha ann am Measopotàimia
dh'ìobair am Punjab a bheatha fhèin,
gus saorsa caidreamhaich a sheasamh,
le onair agus dìlse.

Martial Race

It is quite impossible that I should return alive. [But] don't be grieved at my death, because I shall die arms in hand, wearing the warrior's clothes. This is the most happy death that anyone can die.

- *Saighdear Sikheach air an t-Somme*

unique stalwarts from the east
Ypres, Flanders, East
Africa, Palestine, Egypt / Suez Canal,

fine warriors fought disease, filth, gas
attacks, the onslaught
and maxim guns only their turbans to
protect them their unshorn hair
long beards prescribed by their faith, in
disease infested, muddy trenches.

764 men when
they landed in France by November 1914,
only 385 men left. In Gallipoli,
371 in mere minutes

Neuve Chappelle and the Somme

Black Lions in
Mesopotamia the Punjab sacrificed their lives the
defence of freedom for an ally
out of honour and
loyalty

Chaidh an dàn seo a chur ri chèile tro dhubhadh às earrannan aiste le Arjan Singh Flora, mar a chaidh tabhartas nan Sikheach a dhubhadh às, cuideachd, ann an aithris a' Chogaidh Mhòir.

An erasure poem composed from an extract of an essay by Arjan Singh Flora, in response the erasure of the Sikh contribution from the telling of international conflicts of the First World War.

Òran na Banaraiche

Mar chuimhneachan air Marion Wallace-Dunlop

Nach fhaic thu mi?
'Teàrnadh na bràighe le mo stòp.
Dual mo ghruaige na ròpa chuinge.

Eil thu cluinntinn?
Ceilearadh mo dhuain mun an òb.
Cion caithte a-muigh san fhairge.

Tha ar fàth fada nas fhaisge
nam fulaingeadh tu faicinn
fo do shròin.

Ma 's mi do mhàthair, do bhràmair,
's briseadh sìol an traidisein chìthinn.

Dèan suidhe tac' an tine, laochain,
gus sgeulachd an cruth boireann chluinntinn ann.

Nach fhaic thu mi?
Calumìona na Margaid air an t-sràid.
Deise gnìomhachais is sìoda foimhpe.

Eil thu cluinntinn?
Cagarsaich bhon mhaileid na mo làimh.
Sàilean àrda ann am fosglan marmoir.

Tha ar fàth fada nas fhaisge,
nam fulaingeadh tu faicinn
fo do shròin.

Ma 's mi do rùnaire, do thidsear,
's atharrachadh athaireachd sgrìobhainn.

Dèan suidhe is do leasan, laochain -
gus cumhachd an cruth boireann fhaicinn ann.

Chan eil mòran òran a chuireas beatha nam ban an cèill, ann an traidisean nan Gàidheal, ann an dòigh a chòrdadh ri feiminich. Às dèidh a dìtidh anns an Iuchar, 1909, air sgàth a cuid mìleantachd, rinn Marion Wallace-Dunlop stailc-acrais is i am measg nan ciad shufragaidean as ainmeile a rinn sin.

Song of the Milkmaid

In memory of Marion Wallace-Dunlop

Do you see me?
Climbing down the brae with my pail.
Tresses braided into the yoke of bondage.

Do you hear?
My tune twittering, out in the bay.
Desires cast upon the ocean.

Our cause closer to hand
and you resistant to what
stares you in the face.

If I'd be your mother, your lover,
I'd see a break in this tradition.
Come sit before the fire, champion,
and listen to this story take female form.

Do you see me?
Joina Bloggs on street.
Business suit with silk beneath.

Do you hear?
Whispering from the briefcase in my hand.
Stilettos in a marble foyer.

Our cause closer to hand
and you resistant to what
stares you in the face.

If I'd be your secretary or school-teacher,
I'd parse the protocol of patriarchy.
Take a seat and a lesson, champion –
and see power take a truly female form.

There aren't many songs in the Gaelic tradition that express female lived experience in a way that feminists would enjoy. After being arrested in July 1909 for militancy, Marion Wallace-Dunlop went on hunger strike, one of the first and most famous suffragettes to do so.

1919

Mar chuimhneachan air Eibhlín Ní Chuinín,
mo shinn-sheanmhair

Air oidhche ar fuadaich,
chuir mo mhàthair a ceusadan
an ciosan spriosa,
paisgte am beannag dhubh
a thàing dha màthair
bho a màthair. 'S a màthair-se.

Chuir i cùl
ris na gearastain,
far an dèanadh ar cinneadh
ar n-àrach
am barr-balla làidir,
Dhún Chathail
far an do cheumaich
na h-oifigearan an òrdugh.

Far an cuala sinn boireannaich
is cùl-càinnt eilthireachd ùr
nan Gàidheal
is brath bras
mnai ris an do chanadh siùrsaich,
a thug gaol Shasainn gun smìor.

Bho chidhe Chuíbh,
làrach soraidh shlàine
do a bràithrean roimhpe,
chuala gach astaraiche
aon ghuth fo èislean
a' gabhail
caoinidh.

Diùltaichte Èirinn,
gach lorg ar muinntire
ga spìonadh à bun.

Thionndaidh i thugam,
a' togail mo làimh is ag ràdh:
"Thig a m'eudail
is eilthrich an t-àite seo.
Cùm sùil ris an Ear.
Cuir fàilte air
gairm a' chuain."

1919

I gcuimhne ar Eibhlín Ní Chuinín,
mo sheanmháthair

Ar oíche m'eisimirce,
chuir mo mháthair a croch chéasta,
i gciseán caolaigh,
fillte i mbeannóg dhubh,
a tháinig go dtí mo mháthair,
óna máthair. Is a máthair féin roimpi.

Thug sí a cúl
leis na beairicí,
áit a ndéanadh ár gcine
ár neart
ar balla cosanta láidir
Dhún Chathail, áit ar shiúil
na hoifigigh de réir orduithe.

Áit ar chualamar mná
le cúlchaint ar eisimirce úr
na nGael
Is brath borb
na striapach
a thug grá ó chroí do Shasana.

Ó ché Chóibh,
an áit ar fágadh slán
dá ndeartháireacha rompu,
chuala gach taistealaí
an guth céanna ag caoineadh.

Éire tréigthe,
gach lorg dár muintir
stoite óna bhun.

Thiontaigh sí chugam,
Ag tógáil mo láimh is ag rá:
"Tar, a chroí,
is éalaigh ón áit seo.
Coinnigh súil ar an iarthar.
Cuir fáilte roimh
ghairm an aigéin."

1919

In memory of Ellen Spencer, née Cunneen,
my great-grandmother

On the night of our clearance,
my mother put her crucifix
in a wicker basket,
wrapped in a black shawl
come to her mother from her mother,
and her mother before her.

She turned her back
on the barracks,
where our kindred
sprung forth
on the robust ramparts
of Charles Fort,
where the officers
marched to order.

Where we heard townswomen
and talk of new emigration
for the Gael
and the hasty betrayal
of those called whores who
endeared themself to Englishmen.

From the quay at Cóbh,
the monument to departure,
every wayfarer
heard the same grieving voice,
keening
their lament.

Ireland, abandoned –
every trace of our people,
eradicated,

She turned to me,
taking my hand and she said
"Come, my love
and leave this place.
Keep your eye to the West
and embrace
the call of the waves."

Sgrìobh mi an dàn seo le guth mo sheanar a chaidh le a teaghlach gun Èiphit às dèidh Èirinn fhàgail. Tha dealbh againn den theaghlach òg is trusgan nan scouts *uime is ma bhràthair, Harry.*

Scríobh mé an dán seo i nglór mo sheanmháthar, a chuaigh go dtí an Éigipt tar éis Éire a fhágáil. Tá pictiúr againn den teaghlach óg agus éadaí na nGasóg air agus ar a dearthóir, Harry.

I wrote this poem in the voice of my late grandfather, who went with his family to Egypt upon leaving Ireland. We have a photograph of the young family there, with him in his boy scouts' uniform, alongside his brother, Harry.

Briathrachas

Mar chuimhneachan air Eideard Dwelly

Sa Bheurla
's mo shùil air tighinn tarsainn
air briathar gun fhiosta dhomh,
bidh mi a' cruinneachadh tiùrr is murag,
sligean is gainmheach nam
faclan mun cuairt air,
gus drochaid a thogail thar
a' chnap-starra ron chèill.

San fhaclair,
buailidh mi air a' bhàrr,
gus mo bhrùthadh foimhpe,
a-steach do luasgadh nan duilleagan.
'S tric a thèid mo shlaodadh,
mar bhùidh gun acair,
gus an ruig mi an grunnd.
Mo chorragan sgaoilt',
air mo shnàgaran, lìonaidh mi
mo phòca le neamhnaidean,
criomagan longan briste,
bleideag òir air a rùsgadh o
aghaidh ìomhaigh umha, air chall.

Sa Ghàidhlig
agus corrag a' tarraing loidhne
gu fàth-fiata fon teagsa,
tha feadhainn dhiubh mar
smàil dhubha, còrr datha
air tighinn le gob na cleite.
Thèid an diùltadh,
na faclan nach do dh'fhàs
o bhuachair na croite,
nach d' rinn seirm ri gliong
glainne an taighe-chèilidh.

Ged nach aithnichear iad,
's iad tha dhòmhsa gun phrìs.
Na clachan-bhuadhach,
obair-ghrèise an t-sìoda,
an cruan a nì an cliath
cho grinn.

Lexicon

In memory of Edward Dwelly

In English
as my eye alights
on a term unknown to me,
I gather flotsam and jetsam,
grains of sand and the shells of
words that encircle it,
to build a bridge beyond
the barrier to meaning.

In the dictionary,
I dive beyond the surface,
propel myself below,
within the roll of the pages.
Often I am adrift,
like a buoy without an anchor,
until I reach the seabed.
My fingers spread,
scrambling, I fill my
pocket with pearls,
shipwrecks' fragments,
a fleck of gold peeled from the
face of a vanished bronze.

In Gaelic
as the finger draws a line
invisibly below the text,
some appear like stains,
black, a surplus of ink
from the nib of the quill.
They are rejected,
the words that did not grow
out of the mud of the croft,
that did not chime, clinking
with a cèilidh house glass.

Though they are known no longer,
to me, they are precious.
The amethyst amulets,
the silken embroidery,
the enamel that makes the
latticework so fine.

Dubhaich / Coin / Èireannaich

Mar chuimhneachan air mo sheanair,
Seán Pádraig Mac Spealáin, agus mo sheanmhair,
Mairéad Anna Ní Cheallaigh, bean Mhic an Tuirnéir

Gun Dubhaich, gun choin, gun Èireannaich ars
an sanas ribh, 's sibh a' coiseachd seachad air,
sìos sràid bailtean-muilne Shiorrachd Eabhraig.

Air ur nochdadh ann, 's sibh fhuair sibh fhèin,
caithte bho shruth eilthireach, ur sloinnichean
gun fhiosta san sgìre ach na bu sho-labhairte

Na na h-Amed, na h-Acharya, na h-Abelowe -
Spencer, Kelly, agus na h-aodainn gheala a thugadh
leotha, co-choslaichte, rè ùine, leis an t-sluagh.

Nur pàistean de ghinealach siubhlach, ar leam
an do sheachain sibh comhart chon, 's sibh ri slighe
cruinn-bhealach do sgoilean-eaglais,

Dh'innis aonan dhiubh aon là gun do thog sibh ur ceann
gus èigheachd a chluinntinn agus clachair air àradh,
a' càineadh ceòl-rèim ur blais – ur teachd, ur dualchais..

Fhuair sibh cuidhteas dhe sin, a-measg fùcaireachd
san raon-chluiche, air ur cuairteachadh le clann a' bhaile,
nur neònachain, air tìr *eeh bah gum.*

B' iad as motha ur n-òrain a thug sibh dhomh.
Aibidil air steigearan a' phiàna, gus mo chorrag
a stiùireadh dhan t-soin, bogha an fhìdhle, ri sgread

Anns a' chidsin an Skipton. Foster agus Allen ri balantan,
ro chuairt sa bhaile, gach coltas gum b' aithne gach cailleach,
gach bodach sibh, on a chuir sibh gach chèis a fhuair iad

Tron bhogsa nan litrichean. Ur co-ogha, Anna, ri sgeòil
do mhàthair aig bàr nan *Cross Keys,* mus do chaill thu
ur n-athair. Às dèidh aifrinn, chìthinn far an robh e nis na

laighe, ri taobh ur màthair, air tìr a thug dhi
fàilte, ceathrar cloinne agus cothrom beatha ùir.

Requiescant in pace.

Blacks / Dogs / Irish

In memory of my grandfather,
John Patrick Spencer and my grandmother,
Margaret Anne Turner, née Kelly

No Blacks, no dogs, no Irish said
the sign, as you passed on by, down the
road of those Yorkshire milltowns.

Newly arrived, you found yourselves,
cast out of an emigrant wave, your surnames
unknown in the area but yet more easily spoken of

Than the Ahmeds, the Acharyas, the Abelowes -
Spencer, Kelly and the Caucasian faces they brought
with them, assimilated, in time, with the population.

Children of a mobile generation, I wonder
if you avoided the barking of dogs on your
itinerant paths to successive church schools,

One of you told me how you raised your head
to hear shouting from a builder up a ladder, denouncing the
cadence of your accent – your arrival, your heritage.

You quit yourselves of the former, amongst playground
jostling, surrounded by the children of the town,
aliens in the land of *eeh bah gum.*

It was your songs, the greatest of your gifts to me.
An alphabet of stickers on the piano, to lead my
finger to the tune, the screech of bow on fiddle

In the kitchen in Skipton. Foster and Allen at their ballads,
before a trip into town, you seemed acquainted with every
old woman, old man, but then you'd placed each envelope

They ever received through the letterbox. Your cousin, Anna,
her stories of your mother, behind the bar of the --, before you
lost your father. After mass, I'd see where he was had been

Lain, beside your mother, in the land that gave her
welcome, four children and the chance of fresh life.

Requiescant in pace.

An Cliabh

Às dèidh Robert Atkinson

Tha an cliabh na laighe fhathast,
far an deach fhàgail, fuar falamh,
mar gun deach a thaomadh
de gach dias eòrna.

Doras a' phris, a' luaisgeadh
san deò-ghaoithe a nì fead,
far an robh poit no coire,
nach goil air an t-slabhraidh.

Ann an taigh a' bhàillidh,
tha glainne an Tilley neulach,
bho a smàladh deireannach,
an còrr an arrabhaig, ar leam

A' chaise thug air thrèigsinn,
an trunnca chuala dùd na h-aiseig
's nach deach a thoirt le Hiortach,
dh'fhàg am balt do dh'fhiaclan lucha.

Dh'fhalmhaicheadh Hiort air 29mh an Lùnastail, 1930. Ann am meadhan nan 1930an, thug oileanach aig Oilthigh Oxford air bhòidse gus eun beag-aithnichte a lorg, an gealbh-roc, agus landaig e ann an Hiort anns an Iuchar, 1938, far an do chuir e ùine seachad an cuideachd eileanach a bha air tilleadh airson saor-làithean an t-samhraidh.

Creel

Às dèidh Robert Atkinson

The creel lies still
where it was left,
as if freshly emptied
of every blade of barley.

The press door swings
in the draught that whistles
where once a pan was kept,
or a kettle, never to boil
again on the pot-hook.

In the factor's house,
the Tilley's glass is nebulous
from its final snuff,
the rest in disarray, I wonder

At the haste of the abandon,
the trunk, hearing the ferry blast,
surrendered by a St. Kildan, like
the wallpaper to murine teeth.

Hirta was evacuated on 29th August, 1930. In the mid-1930s, a student at Oxford University embarked on a voyage to find a little-known bird, the Leach's forktailed petrel, and landed on Hirta in July 1938, where he spent time with a number of islanders who had returned for summer vacations.

An t-Aonaranach

Às dèidh Gearóid Cheaist Ó Catháin

Deireadh linn agus isean an eilein
a' coimhead dha na speuran,
na sgòthan a' tolladh, os cionn a' bhàta,
air iomradh o aifreann Dhún Chaoin.

Ar leam an do chluich thu d' iorram
air an fhìdhill nach do thoill do smig,
a bàrdachd
air chall
ach
buan
an fhonn,
air chrìonadh
ris a' chaoineadh
lìonas
gach cluas
aig gach tòrradh,

Leughadh
a' chian-sgeul,
*'Storm bound, distress,
send food, nothing to eat,'*
Thusa gun fhiosta, nad òige,
gun charaidean ach na
faoileagan.

B' e Gearóid Ó Catháin, no Gearóid Cheaist, an duine mu dheireadh a fhuair bàs measg na rugadh air na Na Blascaodaí. Às dèidh dha An Blascaod Mór fhàgail ann an 1953, chuir e a' chuid as motha de dh'òigridh seachad ann an Dún Chaoin, am fianais eilein.

An tAonarán
Aistrithe ag Scott de Buitléir

I ndiaidh Ghearóid Cheaist Uí Chatháin

Deireadh ár linne ar an oileán:
amharcann sé ar na réalta,
's na scamaill á scaipeadh, os cionn a' bháid,
's é ag filleadh théis aifreann Dhún Chaoin.

Ar sheinn tú do phort, measaim,
ar an bhfidil nár oir do smig,
a cuid filíochta caillte aici
ach
buan
an fhonn,
ag meath
leis an gcaoineadh
líonadh
gach cluas
le gach tórramh,

Dar leis
an teileagram,
'Storm bound, distress,
send food, nothing to eat,'
tusa gan cliú, 's tú óg,
gan cairde agat ach na
faoileáin.

B'é Gearóid Ó Catháin, nó Gearóid Cheaist, an duine deireanach a mhair ar na Blascaodaí, áit inar rugadh é. Tar éis dó an Blascaod Mór a fhágail in 1953, chaith sé cuid mhór dá chuid óige i nDún Chaoin, atá gar don oileán.

The Solitary

Às dèidh Gearóid Cheaist Ó Catháin

The last of the island's offspring,
you watch the skies,
the clouds disperse above the boat,
rowed back from Dunquin mass.

I wonder if you played the song you hummed
on the fiddle that didn't fit your chin,
its lyrics now
lost
the
tune
surviving,
but decaying
in the keening that
fills
each ear
at every burial.

The
telegram read
'Storm bound, distress,
send food, nothing to eat.'
You, in the oblivion of
youth, with not a friend
but the seagulls.

Gearóid Ó Catháin, or Gearóid Cheaist, was the last Blasket Islander to survive. Having left Great Blasket in 1953 when it was evacuated, he spent much of his youth in the parish of Dún Chaoin, within sight of his beloved island.

Tuaim

Do phàistean Thuaime,
Requiescant in Pace

Le làmh a' cumail an dorais thruim às a dèidh,
thionndaidh i gus
                                        sgreuch lùdagan a chluinntinn,
fionnachd meadhain-oidhche air a gruaidh,
a guallaichean ga shèideadh
le cibhean gaoithe.

Bha am feur air a shoillseachadh
le deò reòthte na gealaich,
agus brisg fa cuarain, aig a h-uchd,
ultach paisgte an anart gànraichte.

Chùm i gu dlùth rithe e, ach e
fuar tro èideadh agus
                                              sgreuch eòin,
fad' o shealladh, air àrd nam meangan.

Aig an t-saitse, a-nis, bha an stàilinn cho
fuar ri puinnsean, agus a bas air a mhuin,
ach a corragan ri crith, leis an fhìrinn de
na
        tha
                    na
                            laighe
                                        fodha,
                                                    stoirm
a' bhùitich na cluais, agus ceist na h-inntinn –
am b' e buille cridhe eile bha i a' faireachdainn,
no a cridhe fhèin?

B' iad na Peathraichean Bon Secours air an robh uallach airson ruith an taighe ann an Tuaim. Fad meadhan nam 1920an agus gu ruige 1961, bha e na dhachaigh do bhoireannaich neo-phòsta is an cuid cloinne.

Tuam

For the children,
Requiescant in Pace

With her hand keeping the door after her,
she turned to hear the

screech of the hinges,
the midnight chill upon her cheek,
her veil billowing in the wind.

The grass was illuminated
by a frozen ray of moonlight,
and crisp under her sandles, at her breast,
a bundle, wrapped in soiled linen.

She kept it close, but it was
cold through her vestments and the

screech of a bird
out of sight, atop the branches.

At the manhole, now, the steel as cold as
poison, and her palm placed upon it,
but her fringers shiver with the truth of
what

lies

beneath.

Tinnitus

ringing
in her ear, and a question on her conscience –
was it another's heartbeat she felt,
or her own?

The Bon Secours Sisters were responsible for running the Tuam home. During the mid-1920s and up until 1961, it housed unmarried mothers and their children.

1943

Le taing do Ghinealach Windrush

Air oidhche m' fhuadaich,
phaisg mo mhàthair
a falt dubh dualach
an sìoda dathte ar sgìre -
sìor-uaine, mar dhuilleagan
leathan a' chrainn-bhanàna.

Chuir i cùl
ri baile Kingston,
far an dèanadh ar cinneadh
ar n-àrach
air fearann torrach,
ar sealbh fhèin,
a thug dhuinn
còir a' bhòt.

Far an do sheinn mo sheanmhair
cumha Ashanti:
glaodhraich eachdraidh
is dìleab dàil
a' chuibhrich chruaidh,
a rinn MicAoidh dhinn.

Bho mheadhan a' bhaile
thug mi riag-shlighe
gu mullach nam
Beann Gorma.
Chuala mi, tuath is deas,
aon ghuth fo èislean,
ri gealladh
a' Cho-fhlaitheis.

Cead-siubhail Breatannach is
gach lorg ar muinntire
ga spìonadh à bun.

Thionndaidh i thugam,
a' togail mo làmh is ag ràdh:
"Thig a m' eudail
is eilthirich an t-àite seo.
Cùm sùil ris an Ear.
Cuir fàilte air
gairm a' chuain."

1943

With thanks to the Windrush Generation

On the night of my clearance,
my mother wrapped
her black hair in
the dyed silks of our district -
bright and green and wide
like a banana leaf.

She turned her back
on Kingston town,
where our kindred
sprung forth
on fertile lands
we owned, ourselves,
which gave us
the right
to vote.

Where my grandmother sang
Ashanti chants:
the cacophony
of history, the
legacy of chains
that made MacKays of us.

From the centre of town,
my path meandered
to the pinnacle of the
Blue Mountains,
where north and south
heard the same grieving voice,
promising
Commonwealth.

This British Passport –
every trace of our people
eradicated.

She turned to me,
taking my hand and she said:
"Come, my love,
and leave this place.
Keep your eye to the West,
and embrace
the call of the waves."

Sheòl an MV Empire Windrush a-steach do chidhe Tilbury air 22mh an Ògmhìos, 1948, le daoine às gach ceàrnaidh den Charaib air bòrd. Tha iad air a bhith nam buill luachmhor de choluadar air feadh nan eilean seo, o shin a-mach.

The MV Empire Windrush docked in Tilbury on 22nd June 1948, with people from across the Caribbean on board. From that day forth they have made a valued contribution to society across these islands.

Soillse air an Duibhre

Mar chuimhneachadh air Marie Paneth,
stèidheadair Branch Street

An-sin, san stèisean fo thalamh,
las thu coinnlean is lampa-ola,
gus peant, creidhein, pàipear a chur romhpa,
far an do sgaoileadh an t-uabhas ann an
stiallan ruadh is dearga, gan liathadh
le tuirling duslaich is gach crith,
thoradh buillean an t-saoghail os ur cinn.

Le èibhleagan an ruathair fuar
's air an dubh-losgadh, thug thu ealain
air àite-dìon air an uachdar,
an cuideachd Shìochantairean is Cuaigearan,
feuch an cumadh sibh trang iad,
fad feasgaran na dubh-sgàil.

B' iad clann fod chùram a leig seachad càch
's dh'ionnsaich thu cruthachadh dhaibh,
an àite còmhrag-shràide, agus ealantas,
feuch an slànadh tu sgaradh is euslaint.

Mu dheireadh,
dhleas thu taigh nach b' fhiù còmhnaidh,
ach a chumadh do shaothair, agus
a' ceumnachadh na stairsnich,
làmhan nan làmhan, 's iad ri gairistinn,
thug thu soillse air an duibhre.

Rugadh Marie Paneth san Ostair, agus bha i a' fuireach aig àm an dàrna cogaidh ann an Chelsea agus an dèidh sin ann an Hampstead. Fad an Ruathair, thòisich i ag obair le clann agus daoine òga ann an còig sgìrean Lunnainn. Tha 'Branch Street', an leabhar aice mun eòlas-beatha aice, ag innse mu ionad-cluiche a thòisich ann am fasgadh-boma.

Into Light

In memory of Marie Paneth,
founder of Branch Street

There, in the underground,
you lit candles and an oil lamp
before giving them paint, crayons, paper,
letting them unfold the horror befalling them
in streaks of russet and scarlet, tinged grey
with the dust, descending with each shudder,
of the world blown above you.

With the cinders of the Blitz cold
and crisp-burnt black, you brought art
into a surface shelter
and joined by Pacifists and Quakers,
tried your best to busy them,
through the blacked-out evenings.

Abandoned by society, you schooled
the children in your care in creativity,
expertise instead of street-fighting,
to heal their destitution.

Eventually,
you secured a place condemned for dwelling,
to instead house your works, and in
crossing that threshold, brought them,
hand-held and trembling,
out of darkness into light.

Born in Austria, Marie Paneth lived in wartime Chelsea and later in Hampstead. During the Blitz, she began to work with children and young people in five London boroughs. Branch Street, *her book about the experience, describes a play centre that began in a bomb shelter.*

In das Licht

Übersetzt von Lily Wallner

Dort, im Untergrund,
hast du Kerzen und eine Öllampe entzündet
und ihnen Farbe, Stifte und Papier gegeben,
um den ihnen widerfahrenden Horror zu entfalten
in Schlieren von Rotbraun und Scharlach, grau meliert
durch den Staub, der mit jedem Schaudern
der zerborstenen Welt über dir niedergeht.

Mit der Asche des Blitz kalt
und schwarz verkohlt, hast du Kunst
in einen Schutzbunker gebracht
und gemeinsam mit Pazifisten und Quäkern
hast du dein Bestes getan um sie zu beschäftigen
an den ausgeschwärzten Abenden.

Verlassen von der Gesellschaft, hast du
die Kinder in deiner Obhut in Kreativität,
Expertise statt Straßenkampf gelehrt,
um ihr Elend zu heilen.

Letztendlich,
hast du einen zum Wohnen unbrauchbaren Ort
beschafft,
um stattdessen deine Werke zu hausen
und mit dem Schreiten über diese Schwelle, hast du sie,
an der Hand gehalten und zitternd,
aus der Dunkelheit in das Licht gebracht.

Cadenza

> *They had lived a cadenza of horror that would have finished off any of us, and it was as if they wanted to give us their credentials by talking. It was a nightmare.*
>
> *- Marie Paneth*

Traoghadh Windemere, an doilleireachd oidhche,
leig busaichean iad, mar ospag dheireannach
rùn na Roinn Eòrpa, ach glèidhte nur caidir
dh'èist sibh eul-ghrìs sgeòil

Chuir gaoir an cnàmh 's fèoil, ach sin gun chomas den
uabhas ron sùil, gach càirdeach a chaill iad
sna h-àireamhan dubh, snaidhte am fearsaid làimh,
mhair cartadh plodach.

Chaidh clann Iùdhach, mòran dhiubh Pòlach, a thoirt à campaichean gu Windemere, ann an Sgìre nan Lochan, Sasainn, trì mìosan às deidh a' Ghearmailt agus an Ostair a bhith air an gabhail thairis le Feachdan nan Caidreach. Bha clann eadar ochd agus còig bliadhna deug air an sgiathadh fad dusan uair a thìde, ach ràinig sianar chloinne nach robh ach trì bliadhna air an itealan mu dheireadh, cuideachd. Bha Marie Paneth am measg an sgioba a bha ag obair còmhla riutha. Chaidh an dàn seo a sgrìobhadh ann an cruth sonaid Shafaich, cruth cumanta ann an litreachas Pòlainneach.

Cadenza

> *They had lived a cadenza of horror that would have finished off any of us, and it was as if they wanted to give us their credentials by talking. It was a nightmare.*
>
> *- Marie Paneth*

Windermere ebbing, in the sightless night,
the buses freed them, like the final wheezing
of Europe's secret, yet, clasped in your embrace,
the pallor of tales

That shivered flesh and bone, was incomparable
to the horrors seen, every loved one lost
a black numeral, hewn into their forearms,
lukewarm and uncleansed.

Jewish children, many of them Polish, were brought from camps to Windemere, in the Lake District, three months after Germany and Austria were occupied by Allied Forces. The twelve-hour flight was undertaken by children between 8 and 15 years, but six three-year-olds also arrived on the last plane. Marie Paneth was one of the team working with them. The original Gaelic poem is a Sapphic Sonnet, a form prevalent in Polish literature.

Cadenza
Przekład Anny Karbowskiej

Windermere niknęło, w niewidzialną noc,
autobusy ich uwolniły, jak ostatni świszczący oddech
tajemnicy Europy, pomimo ściśniętych w objęciach
bladych opowieści,

Drżące ciała i kości były nieporównywalne
do horrorów widzianych, każda ukochana osoba stracona
czarna cyfra wyryta na ich przedramionach,
nadal ciepła i nieoczyszczona.

Blaenau Ffestinog

Hide them in caves and cellars,
but not one picture shall leave this island.

- *Winston Churchill*

Dh'ullaich Eryri fàilte
anns a' bhràighe.

Manod,
creag obrach fad còrr is ceud.

Chruthaich a chladhach àite còsach
aig cridhe na beinne,
còmhdaichte le sglèat is goineal –
do-ionnsaighe ro bhomadh.

Coireallan fuaraidh
do dh'euchdan ealain gun phrìs,
paisgte an *elephant cases*,
bhanaichean a' Phuist
is trugaichean Cadbury,

Na bothain am falachan na Cuimrigh,
tiomnadh tionnsgail.

Nam broinn,
na comharran air a' bhalla,
far an do chrochadh na dealbhan.

'S corra dhuine a leigeas
le siabadh dualchais.

Chaidh an dàn seo a chur ri chèile tro dhubhadh às artaigeil a' BhBC le Neil Prior, gus a thoirt gu cuimhne mar a chaidh bràighean Eryri a chladhach gus na h-euchdan a dhìon. Tha na log-ainmean sa Chuimris cheart, mar bu chòir

Blaenau Ffestinog

Snowdonia prepared a
welcome in the

Manod
a working quarry for over a century. Its excavations
created a cavernous space at the heart of the mountain
covered with slate and granite

Cold, damp quarries
for priceless works of art

packed in elephant cases

in Post Office vans and Cadbury
trucks

the huts

Hidden Wales.

a testament to ingenuity
Inside
the marks on the wall where the paintings hung

few
will let
heritage slip away.

An erasure poem composed from a BBC article by Neil Prior, evoking the excavation or Eryri in order to preserve the masterpieces. The placenames in the Gaelic version are in the true Welsh, as is right.

Eilean Balbh

At Lager Sylt, we saw a Russian, he was just hanging, strung up from the main gate. On his chest he had a sign on which was written: 'for stealing bread.'

- Font Francisco,
seann-phrìosanach campaichean Alderney

Cha mhòr nach bruidhnear air an iutharn,
ga thoirt gu buil nar n-eileanan, ach tha
Alderney, air a thoirt seachad do mhurt
is cràdh, nis balbh, ach mura biodh
sùghadh a' chuain dhuibh air a chòrsa,
thar an d' thugadh iad, gu stafanta

Ach b' ann an sin a thogadh iad,
le cruadhtan is uèir, lìonra buirbe,
ga leigeil thar nan raointean,
fodhpa, fiù, ann an tuinealean
air an sgoradh tron a' bhun.

Air thalamh,
cuirp a' grodadh fon ghrèin,
air spriutain nam feansaichean bhioran,
gàirdeanan sgaoilte ann an ceusadh iar-èig,
an ainmean air chall ron tost,
le losgadh phàipearan is an luaithre
ag èirigh ris an nèamh.

Aig Lager Sylt, bhàsaich na ceudan de dhaoine ann am fear de cheithir campaichean Nàsach, a chaidh a thogail ann an Alderney, ann an Eileanan a' Chaolais, aig àm an Dàrna Cogaidh. Chaidh an dàn seo a sgrìobhadh mar chuimhneachan orra.

Island of Silence

At Lager Sylt, we saw a Russian, he was just hanging, strung up from the main gate. On his chest he had a sign on which was written: 'for stealing bread.'

- Font Francisco, sean-phrìosanach campaichean Alderney

Almost unspoken of, the hell
brought forth in our islands, but
Alderney, given over to murder
and agony, lies silent now, if not for the
lapping of the black sea on the shoreline,
across which they brought them, subdued

But it's there they built,
with concrete and wire, a network of atrocity,
seeping across the plains,
and underneath, in tunnels
hacked through the bedrock.

On land,
bodies rotting in the sunlight,
suspended on barbed wire fences,
arms outstretched, crucified in death,
their names lost to the stillness,
papers incinerated and the ashes,
rising against the heavens.

At Lager Sylt, hundreds of people died in just one of four Nazi camps build in Alderney, in the Channel Islands, during the Second World War. This poem was written in their memory.

Island of Silence
Vèrsion Jèrriaise par Geraint Jennings

Au Lager Sylt, j'vînmes un Russe, i' 'tait
sîmpliément pendu, haûlîndgi à la grande hèche.
Sus s'n estonma il avait un êcritchieau sus tchi ch'tait
êcrit: 'pouor aver volé du pain'

Quâsiment en cache-muche, l'enfé
s'enfannetit dans nos îles, tout comme
Aur'gny, enfreunmé à l'assâsinn'nie
et ès agouis, a 'té teu achteu, sénon pouor
la lappe dé la néthe mé au pliein,
lé travèrs dé tchi i' l's am'nîdrent, dêmîns

Mais ch'est ilo qu'i' bâtîdrent,
atout du chînment et du fi d'fé, un drannet dé droqu'thie,
tchi s'êtrueûlit l'travèrs des landes,
et par d'ssous, par des tonnelles
dêsèrpilyies partoute la pièrre.

À tèrre,
des cadâvres pouôrrissaient au solé
pendus ès cros ès cliôtuthes en fi barbé,
lus bras tch'aveingnaient, clioués à la crouaix raide morts,
lus noms péthînmés couaiement,
la papell'lie envyée à la fliambée et les chendres.

An Iar-nua-aimsir
Post-modernity

Ann an Tasglann Sgoil Eòlas na h-Alba

Mar chuimhneachan air Seumas Mòr MacEanraig

Air leac an tasglainn,
cha chuir mi an clag ri seirm
ach mo làmh air clàr farsaing darach an dorais
agus brùthaidh mi fosgailte e.

A-staigh,
'S e fàileadh seann làmh-sgrìobhainnean
as aithne dhomh – mar a thig na sgeulachdan
gu torrachas inbheach air na sgeilpichean.

Nad àite,
'S e nighean bàird a chuireas fàilte orm,
a' faighneachd an tàinig mi gus rudeigin a shireadh
gu h-àraidh:

Not today, arsa mise.

Gu dearbh,
tha mi airson bhith còmhla ris na h-òrain –
feuch an nochd ann an rann ceart aig a' cheart-àm,
nam làimh, às dèidh dha feitheamh orm ann am faidhle.

Fhad 's a bhriseas mi a-staigh,
ar leam cia mheud fireannach òg a nochd air an leac sin,
airson òrain fheuchainn,
an dòchas gun stiùireadh tu, leis an t-sùil bhig, e
chun a rùin.

Dhiùlt Hamish Henderson, Seumas Mòr, CBE ann an 1983, leis nach robh an t-urram a' tighinn gu math leis an iomairt fad-ùine aige an aghaidh poileasaidhean pro-niùclasach riaghaltas Thatcher. Bha e cuideachd aig cridhe iomairt an fhèin-riaghlaidh is mhair e beò gus an do dh'fhosgladh Pàrlamaid na h-Alba ann an 1999. Chuir e fad a bheatha ri beòthachadh cultar na h-Alba – an carrying stream *aige. Chaochail e ann an Dùn Èideann air 8mh a' Mhàirt 2002, aig aois ceithir fichead 's a dhà. Chaidh an dàn seo fhoillseachadh san duanaire* The Darg *aig Clò Phoblachd nam Bàrd.*

In the Archives of the School of Scottish Studies

In memory of Hamish Henderson

On the archives' threshold,
I do not set the bell singing,
but place my hand upon the door's broad oak face
and coerce it open.

Inside,
it's the scent of timeworn documents
I recognise – as if the stories ferment
to full fecundity on the shelves.

In your place,
a poet's daughter welcomes me,
asks if I am come in search of something
in particular:

Not today, I say.

Of course,
I only seek to be amongst the songs –
that, perhaps, the right stanza might alight
upon my hand in that very moment,
having long waited for me in a file.

As I breach the place,
I wonder how many young men
manifested on that threshold,
in hope of a song,
and that, with a wink,
you'd guide them towards their desire.

Hamish Henderson, Seumas Mòr, *rejected an a CBE in 1983, as the honour did not chime well with his longterm campaign aaginst the pro-nuclear policies of the Thatcher government. He also campaigned for devolution, living to see the opening of the Scottish Parliament in 1999,. A life-long contributor to Scottish culture – his 'carrying stream' - he died in Edinburgh on 8th March 2002, aged eighty-two. This poem was published in The Poets' Republic Press' anthology, 'The Darg'.*

An Geama Gaisgeil

Schadenfreude (n)
Pleasure derived by someone from another person's misfortune.

Gu ruige seo, cha chualar guth de Chrois Sheòrais na bàirlinn, gu fàth-fiata, os cionn Taigh na h-Alba. Samhla bràithreil a-mhàin, a bhàthadh fhathast burral 's creiceil pìoba fo sprochd, ri teachd.

Bu chòir a bhith an dùil ri seann-dhuan: Ìmpireachd, Agincourt, an Seann-chaidreachas nan iomlaid thugainn 's uainn is bruidhinn gu lèor air 1066 is 1966, fhad 's a dh'fhanas luchd-naidheachd spòrs air ciallsgur deireannach an sgòir.

Bu dual do dh'fheadhainn a dh'èiricheadh raois à Eilean Canvey, a dh'fhàsadh mòr, a dhùisgeadh falt tana cìrte cruinn-chinn Shasainn air feadh na sgìre mu thimcheall Lunnainn.

Aig tuath, fhad 's a ghabhas brùthan-lionna còmhlan-umha anail, a thogas *Ierusalem* leth-dheireannach na dheannaichean meirgeach, tulgaidh crann-Bhealltaine, neo-bhunailteach san fhòid, na ribeannan aig' air bleith, le dìth sgiobag ìghne.

Craolar sruth bleadraich gun bhrìgh, fearas-mhòr is raspars aithris, is iadsan a choisinneas beartas gun cheann, gun chrìch, le deàrrs fallais is dealatain fuillt fo ghrian na Rùis'; thèid màla-gaoith a bhreabadh mu raon.

Ach sin i fhèin, sa chlobhs' air chùl an taighe –
a' bualadh bàil an aghaidh balla, a bha aon uair aig muillear. Ar leatha an dèan i fhèin a' chùis, am faigh i co-ionnanachd pàighidh.

The Beautiful Game

Schadenfreude (n)
Pleasure derived by someone from another person's misfortune.

So far, so civil as St. George's Cross flies shyly over Scotland House. Single fraternal statement, which may yet drown out the wheeze and whine of a dejected bagpipe's advent.

We may yet expect the old refrain: Empire, Agincourt, the Auld Alliance banded back and Forth and talk of 1066 and 1966, as the world's sports reporters await the final score.

Little surprise to some, the roar first rises out of Canvey Island, grows louder still, arouses the comb-overs of
Saxon roundheads across the Home counties.

Up north, as the beer-bellied brass band breathe in, launch into the penultimate gust of a rusty *Jerusalem,*
the maypole sways, unstable in the sod, its ribbons frayed, in want of a young girl's touch,

The highfalutin pundits waffle along the airwaves, the over-paid, all sweat and hair gel glisten glorious under a Russian sun; a bag of air is booted round a field.

But, there she is, in the yard –
kicking a ball against what was once a mill-worker's back wall. Wondering if she'll make it, if she'll ever be paid the same.

'S i Julie McNeill a' chiad bana-bhàrd air mhuinntearas aig cluba bàil-choise sam bith ann an Alba – St. Mirren ann am Pàislig. Chaidh an dàn seo a sgrìobhadh airson Cruinneachadh Hampden.

Julie McNeill is the first female poet-in-residence at any Scottish football club – St. Mirren in Paisley. This poem was written for the Hampden Collection.

Sìrean

Mar chuimhneachan air Assia Wevill

Cha mhair gin de do dhealbhan,
no a' bhàrdachd a sgrìobh thu fhèin
do bhàird am meadhan
do bhreislich ghailleanaich,
a shèid thu bho chala
do chala nan gàirdeannan.

An sin, romhpa,
bu tu bha sìreanach -
do shùilean uaine gun diùltadh fir,
nad laighe fiù 's an leabaidh tèile,
san taigh-tannaisg
far an rinn thu dha dachaigh

Gus cùram a shuathadh
bho leth-chinn a chloinne:
nad mhàthair neo-iomlain
na faileas fhèin

Agus leis gun do gheàrr e
às d' fhaclan bho do ghearradain
agus eachdraidh a bheatha,
                    cha tu ach   fànas
ris am fuaighear cliù
na ban-Iùdhaich adhaltraich -
a' mhuir-bhuidsich dhreuganta.

Rugadh Assia Wevill sa Ghearmailt agus às dèidh sin theich i bho na Nàsaich aig toiseach an Dàrna Cogaidh, a' dèanamh eilthireachd gun Phalastain, tron Eadailt. Chaidh i a dh'fhuireach ann an Lunnainn leis an duine aice, am bàrd Canadach David Wevill, agus far an robh dàimh aice ris a' bhàrd Shasannach Ted Hughes. Rug i nighean dha Hughes - Sura. Chaochail i san aon dòigh ri a bhean, am bàrd Sylvia Plath agus thathar a' creidsinn gun deach a bàrdachd a sgrios le Hughes. Bha an sanas dath fuilt 'Sea Witch', a chaidh a chraoladh ann an 1965, na àirde a cùrsa-beatha proifeasanta.

Siren

In memory of Assia Wevill

Your watercolours lost
along with the poems you wrote
to poets themselves, admidst
your tempests and deliria,
that billowed you from haven
to haven in their arms.

There, before them,
you were sirenic –
your green eyes never once refused,
even when lain in another's bed,
in that ghost-house
where you made for him a home

To soothe the cares
from his children's temples:
a mother, incomplete,
in her shadow

And as he excised
your own words from both
your notebooks and his own annals,
you remain a void,
onto which is nailed
the adulterous Jewess –
the relentless sea-witch.

Assia Wevill was born in Germany and later escaped the Nazis at the beginning of the Second World War, emigrating to Palestine, via Italy. She settled in London, with her husband the Canadian poet David Wevill and where she had a relationship with the English poet Ted Hughes. She bore Hughes a daughter - Sura. She died in the same way as his wife, the poet Sylvia Plath and her poetry is believed to have been destroyed by Hughes. The 'Sea Witch' hair-dye advert, broadcast in 1965, represented the height of her professional career.

Fear-àradh

Le taing do na feiminich
a thug an oidhche air ais

Saoileam, air an
t-saoghal sa bheilear beò,
am faicear luach sna rudan sa
banaile dhuinn.

Na longan,
na dùthchannan

Na rudan gun bhrìgh a chì sinn
cho brèagha prìseil

Gun dèanamh luaidh air na mnàthan
- na nìthean as boireann dhuinn –
is dithis às an triùir dhiubh
air am buaireadh 's am pronnadh.

Ged a shiubhail sinn nar màthraichean
fad nam mìosan as laige dhuinn

Gus ar breith ann an dùthaich chian,
a nì ar n-àrach 's ar dìon,
raon farsaing a chur ro ar miann.

A dh'aindeoin sin, chan aithnich sinn
an tè aig bonn àraidh athaireil –

Airson a chuid foighidinn,
's i a leig a sgàth dhi
son a mic-se.

Omie-ladder

With thanks to the feminists
who reclaimed the night

Varda, as we troll about
the smoke in which we lett,
that we varda as fantabulosa,
only fakements of dolly ilk.

Dowry nations, carbouches
filly latties on water

Sheesh automata, we prize,
more than a jeweller's eye.

We nishta nellyarda dollies
- actual bonie palones -
and dewey out of tray
sent up and schonked.

Though we trolled in the madre
a nelly virgin vaggerie,

Trolled forth, ajax the gaujo smoke,
nanti worster for any ferricadooza,
lau all fakements before our fancy.

Sharda, we've nishta of his actual number;
bonie polone below the omie-ladder –

He who scotched
his own sweet stake
for the sake of his lullaby cheat.

Man-ladder

With thanks to the feminists
who reclaimed the night

I wonder,
in this world we live in,
why we prize so highly
that ascribed the female.

Those ships,
those nations

The automata we
revere and admire

Without esteem for the women
- she, female defined -
and two of three
beaten and abused.

Though we sailed in our mothers
a frail maiden voyage

To be born in a wilderness
that might raise and defend us,
great space made before our desire.

Despite this, we do not acknowledge
she below the ladder of men -

Patiently forsaking
her own sweet stake
for her son's.

Ann an Leeds air 12mh Samhain, 1977 chaidh a' chiad chaismeachd 'Reclaim the Night' a chumail. Air a tòiseachadh le feiminich radaigeach, bha na caismeachdan gu ìre mhath nam freagairt do mhurt an 'Yorkshire Ripper'. *Bha na poileis air stiùireadh a thoirt dha na boireannaich uile fuireach a-mach à àiteachan poblach às deidh camhanaich na h-oidhche, ged a thug iad gu ceàrr tuairisgeulan leithid* 'fallen women' *don fheadhainn a chaidh a mhurt, agus a' mhòr-chuid dhiubh gun a bhith an sàs ann an obair feise. Thachair dusan caismeachd eile air an aon oidhche ann am bailtean-mòra eile ann an Sasainn, nam measg: Bradford, Brighton, Bristol, Lancaster, Lunnainn, Manchain, An Caisteal Nuadh is Eabhraig. Bha mo mhàthair fhèin a' fuireach ann an Leeds aig an àm.*

In Leeds on 12th November,1977 the first 'Reclaim the Night' protests took place. Pioneered by radical feminists, the marches were in part a response to the 'Yorkshire Ripper' murders. The police had instructed all women to stay out of public spaces after dark, though they wrongly ascriped descriptors such as 'fallen women' to those murdered, most of whom were not involved in sex work. Twelve other protests took place on the same night in other English cities including: Bradford, Brighton, Bristol, Lancaster, London, Manchester, Newcastle and York. My mother was living in Leeds at the time.

Fianais Mhòr-shluaghach

Dàn air a lorg às dèidh Bernadette Ní Dhiobhilin

Fad trì mionaid,
thug e brath seachad,
ma 's e fiù 's brath a bh' ann.

Brath bha gun aithreachas,
is sinn de dheichnear 's triùir gann.

Cha bu fhreagairt làn fhòirneirt,
ach gun fhaireachdainn a bha
nam bhriathran, mòdhar,
gu fuaranta fionnar.

Bu mhi an t-aon bhall
an seòmar Dhoire an-dè.
Peilearan para-shaighdearan
air an losgadh aig doras-
inntrinn na Pàrlamaid is
mi taobh a-staigh dhi,
cha do leig iad leam bruidhinn.

Ach b' e fianais mhòr-shluaghach
a rinn mi an sin.

B' esan bha gun fhìrinn, ach
sop air sgàth sgoinne dhinn –
murt dearg na chridhe is
cunntalachd a dhìth.

A Leabhra–
bu muide na fichead mìle
rinn caismeachd tro shlighean is
shràidean bhuineas rinne is
iad gun chòir sam bith, ach
cinnteachd an lagha
- ma 's e sin, ma 's fhìor –
bhith ri brùidealachd,
feachd ainneart armachd
nar cuideachd, gu bràth.

Chan ann leamsa an lagh sin,
sin lagh de luchd eile.
Seach mi 's e tha duilich nach do
rug mi air a sgòrnaich.

Agóid Phrólatáireach

Dán a fuarthas i ndiadh Bernadette Devlin

Fad trí nóiméad,
thug sé ráiteas,
más ráiteas a bhí ann, fiú.

Ráiteas a bhí gan aithreachas, is trí dhuine dhéag againn
in easnamh.

Níor fhreagra lán foréigin a bhí agamsa,
freagra gan mhothúcháin a bhí
i m'fhocail shuaimhneacha, ráite go fuarchúiseach.

Ba mhise an t-aon teachta amháin
i seomra Dhoire inné.
Piléir pharatrúipéirí
á gcaitheamh ag doras-
na Parlaiminte is
mé taobh istigh di,
níor lig siad dom labhairt.

Ach agóid phrólatáireach
a rinne mé ansin.

B'eisean a bhí lán bréaga, is
gan ann ach sop in áit na scuaibe;
dúnmharú dearg ina chroí is
freagracht de dhíth.

A Dhia –
sinne na fiche míle a
mháirseáil trí shlite is
sráideanna a bhaineann linne amháin, is
iadsan atá gan ceartas ar bith, ach
ceart acu de réir dlí
- más fíor -
le bheith brúidiúil;
fórsa foréignacha a n-arm
inar gcuideachta, go deo.

Ní liomsa a dlí sin,
sin dlí dream eile.
Níl mé ach buartha nár
rug mé ar a scornach.

Proletarian Protest

A found poem after Bernadette Devlin

It was a three-minute
statement, if a statement
it was.

A betrayal, without regret
for the fallen thirteen.

Mine was not a response
born of violence or emotion,
but a reaction
coldly, calmly taken.

I was the only member
in Derry's chamber yesterday.
Para-troopers fired on me
on the way to the Parliament
and there, inside,
I wasn't allowed to speak.

But nevertheless a
proletarian protest I made.

Free of accountability, the
red heart of murder,
and on his truthless tongue,
tokenism profane.

Indeed –
it was the twenty thousand
who marched the streets and by-ways
that to only us pertain and they
who have no right, but
the assurance of law
- if that's what it is -
to engage in brutality,
their force of arms
forced upon us evermore.

That has never been my law,
but law of others.
I am just sorry I didn't
get him by the throat.

San dàn seo chleachdadh briathran Devlin fhèin nuair a bha i a' bruidhinn ris na meadhanan mun ionnsaigh aice agus na beachdan a rinn Rùnaire an Taobh a-staigh Bhreatainn, Reginald Maudling ann an Taigh nan Cumantan mu dhèidhinn Didòmhnaich na Fala.

Focail Devlin í féin iad seo, agus í ag caint leis na meáin faoin ionsaí a rinneadh uirthi agus an méid a bhí le rá ag Rúnaí Baile na linne, Reginald Maulding, i Westminster maidir le Domhnach na Fola.

These are the words of Devlin herself, when speaking to the media about her assault and the comments made by then-British Home Secretary, Reginald Maudling in the House of Commons regarding Bloody Sunday.

An t-Ùbhlan

Às dèidh Catherine Corless is Franny Hopkins

Bha an t-ùbhlan air a shoillseachadh
le deò reòthte na gealaich,
a mheasan cruinn, drithleannach,
's iad air tighinn gu meud –

Tàlach, bho ruigse air àrd nam meangan,
le làmh sìnte, rinn e tomhas air an astar
eadar mullach a' bhalla is a rùn,
agus, a' glacadh nan clachan,
fhuair e barradh fo a bhròg.

Fada fhathast, bho ghrèim a chorragan,
chaidh am buaireadh le a spleadhagan,
agus
aon
air
aon
air
aon

land iad air an talamh, a' leigeil
sgleog
às dèidh sgleoige fhalaimh,
na mhac-talla
air an làraich chruadhtain.

Thàinig connspaid mu na dh'èirich air na ceudan de leanaban a bhàsaich fhad 's a bha iad a' fuireach ann an dachaigh Thuaim, rud a tharraing aire nam meadhanan eadar-nàiseanta ann an 2014. Bha an neach-eachdraidh ionadail Catherine Corless, os cionn iomairt leis an amas mìneachadh fhaighinn bho Riaghaltas na h-Èireann a thaobh gainnead uaighean comharraichte dhan a' chloinn, a bhathas a' creidsinn a bha fo chùram nam Peathraichean Bon Secours.

The Apple Tree

After Catherine Corless and Franny Hopkins

Tha apple tree was illuminated
with a frozen ray of moonlight,
the fruits round and shining
having come into their ripeness –

Enticing, out of reach atop the branches,
with a hand extended, he surmised the distance
between the top of the wall and his desire,
and, gripping the stone,
he got a foothold.

Far from the grasp of his fingers,
they were disturbed by his scrambling,
and
one
by
one
by
one,
they landed on the ground with
thud
after thud,
sounding an empty echo
around the ruined concrete.

Controversy over the fate of the hundreds of infants who died while resident in the Tuam home became a concern of the international media in 2014. Local historian Catherine Corless led a campaign with the aims of getting an explanation from the Irish Government regarding the lack of any marked graves for the children, believed to have been cared for by the Bon Secours Sisters.

Òr-ubhal

Carson do chaismeachd
Fhir Bhuidhe?
carson do chlambraid air feasgar Shathairne
agus mise ag ithe mo dhìnneir?

Ma tha thu cho dèidheil air an dath,
nach cuir thu sìol san ùir
is nach fhan thu ri beannachd beatha
a bhòrcadh bhon uaigh?

Nach dèan thu dàn
do chearcall mòr na grèine
an àite sròl a chur ort 's do lèine
's do bhrògan spaideil Shàbaid?

Bhiodh tu sona, an uairsin –
le beul loma làn sùgha
is an cnuasach nad làimh.

Cha toireadh tu an aire
do ghlaodhraich 's ceòl-pìoba.
Bhiodh tu ro shòlasach son
comharrachadh an aoig

Is mar sin, bhiodh tu eòlach
air freumhan treun do chraoibhe:
chìtheadh tu nach eil am feur,
bho am fàs iad gorm,
ach seunta agus sìor-uaine.

Nuair a bha mi nam Chaitligeach, a' fuireach ann am Baile nam Marsantach, bhiodh iad ri caismeachd an sin. Nuair a ghluais mi gun t-Seasganaich, bhiodh iad ri caismeachd an sin. Nuair a ghluais mi gu Allt an Fhuarain, bhiodh iad ri caismeachd an sin, cuideachd. Ann an 2019, chaidh am Fear Buidhe, Bradley Wallace a chur am prìosan fad deich mìos, às dèidh dha smugaid a bhualadh an clàr aodann An Athair Thomas White aig Eaglais Naomh Alphonsus air Rathad Lunnainn. Nam bheachd bu choir don Riaghaltas Bhreatainneach an t-Òrd Oraisteach a chasgadh mar bhuidheann cheannairceach.

Orange

Why the outcry
Orangeman?
Why the hullabaloo on Saturday afternoon,
when I'm eating my dinner?

If you're so fond of the hue,
would you plant a pip in the earth and
wait for the blessing of life
to burst from its burial?

Would you write a sonnet
to the great circle of the sun,
instead of choosing your silk to put on,
with your shirt and fancy Sunday shoes?

You'd be happy then –
with a full face of juice
and the fruit in your hand.

You'd not pay attention
to the wail-song of the chanter.
You'd be too grateful,
to celebrate death

And thus, you'd be connoisseur
of the vigorous roots of your tree:
you'd see the pasture,
from which it grows, not verdant,
but enchanted and evergreen.

When I was living, as a Catholic, in the Merchant City, they would march. When I moved to Cessnock, they would march. When I moved to Springburn, they would still March. In 2019, Orangeman Bradley Wallace was jailed for ten months for spitting in the face of Fr. Thomas White at St Alphonsus' Church on London Road. In my view, the British Government should proscribe the Orange Order as a terrorist organisation.

Às a' Cheò

Le taing do Luchd-iomairt Gàidhlig nan 80an,
An t-Oll. Ceana Chaimbeul agus Rosemary Ward
airson an cuid sgeulachdan innse dhomh.

A-mach às a' cheò,
choisich dà chòta throm,
bragan shàilean beaga air na leacan,
a' teannachadh ri Stèisean Bus Bhochanan.

Beannag air gach tè agus
rùn ga roinneadh eadarra,
ghabh iad fois bhon dìle –
ga shèideadh a-steach bho Shràid Killermont.

Choimhead tè diubh a h-uaireadair.
Beagan ro làimh, ach am bus
a' tighinn a-staigh, romhpa,
gus cala tarmac a ruighinn.

Cha dèanadh Highland Time a' chùis,
                an triop-sa
ach thog iad orra,
uair eile is na dorsan a' luaisgeadh,
le mèaran loinidean,

Màthraichean a' cur fàilte air nighean no dithis.
Mac is trusgan air,
's e air tilleadh bhon nèibhi agus
                an crochadh
                aig cùl an t-sluaigh,

thog tèile a ceann
                gus bob bàn
                a sgrùdadh, a brògan cùirte is
                froga fhuaireas am boutique Lunnainn,
                a' teàrnadh nan ceumannan

Seo i, ars an dàrna tè,
ga cuideachadh le màileid throm,
an dòchas gun gearradh coibhneis
tron iongantas a lìon a gnùis òig.

Na gabh dragh
ars an tèile le blas Sgitheanach,
fhad 's a chuir iad oirre ceist:
ach an robh thu riamh den bheachd
a bhith nad thidsear Ghàidhlig?

Dàn a chaidh a sgrìobhadh airson a' phròiseact COR a choilean mi airson coimisean aig Leabharlann Nàiseanta na h-Alba.

Out of the Mist

With thanks to those who fought for Gaelic in the eighties, Dr. Kenna Campbell and Rosemary Ward, who shared their testimony with me.

Out of the mist,
two heavy coats paced the flagstones,
their high-heels clacking,
nearing Buchanan Street Bus Station.

A headscalf, each,
they sheltered from the downpour –
blown in from Killermont Street.

One observed the hour.
A little early, perhaps, but the bus
making its arrival, before their eyes,
to reach its tarmac haven.

Highland Time wouldn't cut it,
                    this time
and once more on they went,
with the doors swinging
on the yawning of the pistons.

Mothers welcoming a girl or two.
A young naval officer,
making his uniformed return and
                    hanging back,
                    behind the throng,

one of the women raised her head
                    to size up a blond bob,
                    the court shoes that accompanied it
                    and a frock bought in a London boutique,
                    descending the steps

Here she is, said one to the other,
helping her with her heavy suitcase,
hoping that her kindness might cut
through the surprise that filled
the younger face.

Don't worry,
said the other with her Skyewoman tones,
posing of her a question:
but had you ever thought about
becoming a teacher of the Gaelic?

A poem I wrote as part of a commission for the project COR I completed with support of the National Library of Scotland.

Glòir

Mar chuimhneachan air Mark Ashton,
le taing do LGSM is muinntir Onllwyn

B' e àite òran seo o shean,
o dh'fhàg Pàdraig soraidh Sarn Helen
ro faram phicean air guail
is co-sheirm còisirean fhear
thog duain tìr-ghràdhach le aighear
ged bu ribear is nach suail

an neach-seilbh mèinne a ghoid
ròsan 's aran bhuap' a throid
tron sgloid airson cothromachd,
turastail-obrach is bith-bheò
as àille srath de dh'fheur is ceò,
is shìos fon sgleò gun allsachd.

Gun an dùil ri taghar ruadh
ghairm claonairean de gach muadh
a bheireadh buadh, dhìonadh còir.
B' iad compaich mì-choltach, ri caismeachd
son cor is ceartas sin, nan cuideachd
is mùthadh reachd a thog 'ad glòir.

Tha an dàn seo air a sgrìobhadh ann an cruth traidiseanta Cuimreach air a bheil Cywydd Llosgyrnog. Chaidh a sgrìobhadh mar chuimhneachan air Mark Ashton, a thòisich iomairt chòraichean LGDTC anns an RA is a chaochail ri linn SEIT ann an 1987. Anns an dàn rinn mi iomradh air Jimmy Somerville aig an robh òran 'Smalltown Boy' a thug aire an t-sluaigh air beatha fhireannach gèidh.

Voices

In memory of Mark Ashton,
with thanks to LGSM and the people of Onllwyn

This has been a place of song
since Patrick took to Sarn Helen,
long before the percussion of pick
on coal and male-voice choirs
raising exultant panegyrics,
though the swindler was always present

and presiding over the mine, snatching
bread and roses from those that struggled
through the filth for fairness,
a working wage and a living
on the misty valley-side
and below, in unrelenting darkness.

They did not expect the redheaded falsetto
that would be call to arms for so-called perverts
who'd win victory and secure rights.
Unlikely comrades, marching
alongside them for equal status and justice,
to shift a statute, raising their voices.

The Gaelic original is written in the traditional Welsh Cywydd Llosgyrnog form, strict in its syllabic and rhyming structure, with the English version presented as a gloss. It was written in memory of Mark Ashton, the father of the LGBTQ rights movement in the UK who died of AIDS in 1987. In the poem I reference Jimmy Somerville whose song 'Smalltown Boy' brought the lives of gay men to public notice.

Dubh-shìol

Mar chuimhneachan air ginealach fhireannach gèidhe
a shiubhail rè staing SEIT

Air sliseag glainne,
fo mhaidhcro-scòp m' inntinne,
chì mi e - agus 's *e* a th' ann -
ri lùbairnich,
earball a' priobadh mar
sgadan-sligeach ann an lìon,

Tha fhios gu bheil a dhàn
air sùileachadh, 's e air
leabaidh a' bhàis,
cearcall a bheatha mar
dhòtaman a' call a lùths.

A sgoinn gun foir-lìonadh,
tha a cheann ro fhìnealta:
a ròiseal ro bhog gus
a rùsg-ùighe a pholladh.

Ro lag, sin cnag na cùise.

Mo dhubh-shìol,
a dh'iarras iom-fhilleadh
le gasanach is sìol eile,
tha co-choltach ris fhèin.

Fad nan 80an, theireadh na meadhanan mòra 'an galar gèidh' ris an tinneas seo.

Blackseed

In memory of the generation of gay men
lost to the AIDS crisis

On a sliver of glass,
under the mind's microscope,
I see him - and he is a *him* -
wriggling,
his tail flickers like
a pilchard in a net.

He knows his deathbed,
fate under scrutiny,
as his life cycle winds
down like a top.

Potential unfulfilled,
his head is too fine:
his impetus too soft
to pierce the egg's husk.

Too weak, in fact.

My blackseed,
that seeks to entwine,
tendril-like, with another,
his identical.

Throughout the eighties, the mainstream media referred to this virus as 'the gay disease'.

Gille Grinn

Don chlann gèidh a dh'èirich suas fo sgàil Earrann a 28 agus daoine mar Sheumas Mòr Whannel a strì air ar son.

Bha rudeigin san dòigh a shuaith e
ghruaig far a bhathais is a
làmhan air a chruachan aig
cùl sluagh cloinne-nighean.

Ge 's bith brag a' bhàil a sheachnas e,
no a' chòmhrag 's a bhios e 'n sàs,
'S ann ann an ceàrn ciùin eanchainn,
bhios seanais amharais a ghnàth.

Bidh an gille sin na dhannsair,
na dhealbhadair, na bhàrd,
ach bheir e ùine fhathast,
mus lìonar na tha na bhroinn de bheàrn.

Mar mhòran òigridh anns gach ceàrnaidh nan nàiseanan seo, chaidh mi tron sgoil fo sgàil Earainn a 28. Rugadh mi air 28mh na Samhna, 1984. B' e àireamh a 28 air a taigh againn, is tha fhathast.

Fioliome Fantabulosa

For the gay kids raised under the spectre of
Section 28 and folk like Jim Whannel
who fought for us.

I vardad something in the way
she ʒooʒed her ends from her eek
cackling, lill-on-hip, ajax
a gaggle of billingsgates

Maybe the schonk of the ball
she swerves, or in barneys, battyfangs,
but in the munge of her mind,
savvies a doubt that nantie scarpers.

Mais oui, dolly may a walloper be,
a jogger, a screever in her time,
but it'll take a longola time, no flies,
to josh up the nishta deep inside.

Like many young people belonging to these nations, I went to school under the shadow of Section 28. I was born on 28th November 1984. It was a number 28 on the house I grew up in and, indeed, it still is.

Tìgear

Irelande, douze points!

Thathar ag ràdh gum facar tìgear,
taobh a-muigh Páirc an Fhionnuisce,

Far an do dh'èirich teannadairean
lusach ri taobh na h-aibhne.

Thilg glainne is cruinn-iarainn
lainnir o bhàrr nan uisgeachan.

Piseach glan an aiteal grèine,
fiù 's biùg solais an seann bhothan -

Crotal solasta air ballachan boga,
oiteag air a' mhullach fhòideach

Fhad 's a chualadh air feadh na Roinn Eòrpa
borbhan chasan dannsaidh.

Cha do mhothaich mi gun robh mi Sasannach mus deach mi a dh'Alba. Fhad 's a bha mi ag èirigh suas ann an Eabhraig, bha mi nam phàirt de choimhearsnachd diaspora na h-Èireann. Aon là, bha mi aig an sgoil is chuir tè ceist air mo charaid, Claire, aig a bheil an t-aon dualchas: 'why do you want to be Irish?'. 'We just are,' ars i. Uaireigin anns na naochadan, eadar Eurovision, 'A Woman's Heart', 'Riverdance' is The Corrs, thachair rudeigin a thug cead dhuinn a bhith moiteil às sin.

I didn't realise I was English until I moved to Scotland. Growing up in York, I was part of the Irish diaspora community. One day, when I was at school with my friend Claire, another girl walked up to her and asked: 'why do you want to be Irish?'. 'We just are,' she replied. Sometime in the nineties, between Eurovision, 'A Woman's Heart', 'Riverdance' is The Corrs, something happened and they let us be proud of it.

Tíogar

Irelande, douze points!

Deirtear go bhfacthas tíogar,
taobh amuigh de Pháirc an Fhionnuisce,

Áit ar chaith siad cearchaill laitíse suas,
ag fás cosúil le féithleog cois na habhann.

Scáil na gloine agus an iarainn ag
glioscarnach ar bharr na n-uiscí.

Rath mór leis an ngrian,
fiú bolgán solais sa seanteachín -

Crotal éadrom ar bhallaí boga,
gaoth ar dhíon móna

Ar fud na hEorpa bhí le cloisteáil
toirneach cosa ag damhsa.

Tiger

Irelande, douze points!

They say a tiger was seen
beyond Phoenix Park,

Where they threw up girders,
growing vine-like by the river.

The glimmer on the waters,
reflected in glass and iron bars.

A prosperity of sunshine,
even a glint in the bothy -

Lichen luminous on damp walls,
the roof turf bemused by the breeze

Whilst all across Europe was heard
the thunder of dancing feet.

Tost Fianaise

Às dèidh Colin Davidson

Cha dìreach am fradharc –
                                        sùilean uile,
soilleir am meadhan nam pòrtraidean,
ach an aodannan seargach, a' gèilleadh
do mhiabhadh na bruise, na tuaran balbh
nach labhair doimhne an àmhghair.

'S corra choltas a leigeas orm saoilsinn
gun sileadh deur bho chlàr a' chanabhais,
rosg-sgàilean a dhùineadh ro radallach san eanchainn,
ach na fabhran fo thàmh sa chaochan peanta
nach taisbean ainmean na caillte.

Fianaise Chiúin

Tar éis Colin Davidson

Tá a radharc indíreach -
                                        na súile ar fad,
geal i lár na bportráidí,
cé go meascann a gcuid aghaidheanna, ag géilleadh
do stríocadh garbh na scuaibe, na dathanna laga
nach ndearbhaíonn doimhneacht an éadóchais.

Chuir cuid dá gcosúlachtaí mé ag smaoineamh
go dtitfeadh deoir ó aghaidh an chanbháis,
claibíní troma i gcoinne clagairt na haigne,
ach na fabhraí fós ciúin sa leachtdath,
nach nochtann ainmneacha iad siúd a cailleadh.

Silent Testimony

After Colin Davidson

Their gaze is indirect –
all eyes,
bright in the portraits' centre ground,
though their faces blend, relenting
to the coarse brush-strokes, the mute shades
that don't declare the depths of the despair.

Some of their likenesses lead me to think
that a tear might fall from the canvas' face,
lids heavy against the clattering of the mind,
yet the lashes silent in the wash
that does not disclose the names of those lost.

Canar Aonta Dihaoine na Ceusta cuideachd ri Aonta Bheul Feirste, oir chaidh a ruighinn air Dihaoine na Ceusta, 10 Giblean 1998. Chaidh mi gus na dealbhan seo fhaicinn ann an Taigh-tasgaidh Ulaidh còmhla ri mo charaid, Kerry, nuair a bha mi a' cur cèilidh oirre aig àm na bliadhn' ùire, 2016.

The Belfast Agreement is also known as the Good Friday Agreement, because it was reached on Good Friday, 10 April 1998. I went to see these paintings exhibited in the Ulster Museum, when visiting my friend, Kerry, around the New Year, 2016.

Pòrsalan

It is a point to remember that of all the ironies about Diana, perhaps the greatest was this - a girl given the name of the ancient goddess of hunting - was, in the end, the most hunted person of the modern age.

– Teàrlach, Iarla Spencer

Mar chuimhneachan air Diana,
Bana-phrionnsa na Cuimrigh

Tha gilead a bathais ris a' phòrsalan,
fliuch le drìuchd fallais a' sileadh
a-steach don uisge.

Le rùchd is   casad
tha i air a dèanamh falamh
de na lìon a fànas
mòmaidean air ais.

A lèirsinn fiar,
èirigh na ballachan
timcheall oirre,
mar a ghreimicheadh i
an nèamh.

A' togail a ceann,
glacaidh smal beag dubh
a sùil.

Fiù 's ann an lùchairtean,
a tha clòimh
air cùl an t-sisteil.

Rugadh Diana nach maireann, An t-Urramach Diana Frances Spencer air 1mh Iuchar, 1961 aig Park House, faisg air Sandringham, aithnichte às dèidh a pòsaidh mar Bhana-phrionnsa na Cuimrigh. Às dèidh tubaist càr ann am Paris, chaochail i air 31mh Lùnastal, 1997. Ann an agallamh a fhuair Martin Bashir airson a' BhBC le foill, thug i mion-fhiosrachadh seachad air air a cuid eòlais air fèin-chron agus bulimia, fhad 's a bha i pòsta aig Prionnsa na Cuimrigh.

Porcelain

It is a point to remember that of all the ironies about Diana, perhaps the greatest was this - a girl given the name of the ancient goddess of hunting - was, in the end, the most hunted person of the modern age.

– Charles, Earl Spencer

In memory of Diana, Princess of Wales

The whiteness of her forehead
is moist against the porcelain,
with sweat that drips
into the water.

With a retch, a   cough,

she has emptied herself
of that which filled her void,
moments before.

Her vision, distorted,
the walls rise
around her,
as if to clutch
at heaven.

Raising her head,
her eye is caught
by a small black spot.

Even in palaces,
there is rot
behind the cistern.

The late Diana, Princess of Wales was born The Honourable Diana Frances Spencer on 1st July, 1961 at Park House, near Sandringham. Following a car crash in Paris, She died on 31st August, 1997. In an interview gained by Martin Bashir for the BBC under false pretences, she detailed her experiences of self-harm and bulimia, during her marriage to The Prince of Wales.

Am meata-aimsir

Meta-modernity

Rèiteachadh

Le sgrìobhadh dà ainm, sìoth -
biodh sileadh gach deòir air gruaidh
nis tioram air gach taobh crìche,
ach cuimhn' an ceann 's cridhe an t-sluaigh.

Athmhuintearas

Le scríobh dhá ainm, síocháin -
go dtite gach deor ar leiceann
tirim ar dhá thaobh na teorann,
le cuimhne i gceann agus i gcroí na ndaoine.

Chaidh an dàn seo a' sgrìobhadh an cruth Seann-Ghàidhlig Seadna. Mairidh sìth fhathast.

Reconciliation

With the writing of two names, peace -
may each tear on cheek fall
dry on both sides of the border,
with remembrance in every head and heart of the
people.

This poem was written in the Old-Gaelic form, Seadna. Peace will last.

Co-cheangailteachd

If you choose to ignore their names and their story, then that's all you'll ever see. Just features in a landscape. Very pretty, but meaningless.

- Tudur Owen

Chuireadh càball an seo,
gus a cheangal don t-saoghal
agus fon ghainmhich bhuidhe,
shiubhail thuige a theachdaireachdan,
an còdachadh ann an tàthanan 's neonithean.

Gus an toireadh solas
agus a' ghrian fhèin a mhealladh
le nòisean gur là a bh' anns an oidhche,
àillidh san eòlas ùr-nòsach.
Ach b' iad bha gun tuigse.

Porth – àite inntrigidh,
far an tàinig luchd-malairt air tìr,
agus iasgairean ri cainnt an còmhraidh,
a' slaodadh an lìontan bhon chuan.

Trecastell – dùn no caisteal fiù,
chaidh thogail gus iomall na fairge a dhìon,
far an do choimheadear a-mach gun fhaire,
feuch dè thraoghadh leis an làn.

Mar a chìthear ann an Èirinn agus Alba, tha deasbadan fhathast mu chleachdadh log-ainmean tùsail na Cuimris. Nuair a chì luchd na Gàidhlig soidhne rathaid ann an Alba, gheibh iad beachd air cumadh-tìre an àite, air a h-eachdraidh, cò a stèidhich e neo a bha a' fuireach ann agus iomadh mion-fhiosrachadh eile a bharrachd air sin, mus ruig iad an ceann-ùidhe, dìreach air sgàth nam feartan anns na h-ainmean-àite. Tha an dàn seo a' dol às àicheadh cleachdadh Beurlachas nan log-ainmean ùra, gus luchd na Beurla a chiùineachadh.

Cysylltedd
Wedi'i gyfieithu gan Ifor ap Glyn

> *If you choose to ignore their names and their story, then that's all you'll ever see. Just features in a landscape. Very pretty, but meaningless.*
>
> *- Tudur Owen*

Gosodwyd y cêbl yma
i'n cysylltu ni â'r byd,
ac o dan y tywod melyn
daeth y negeseuon mewn,
fesul strac a smotyn.

Daethant â goleuni,
gan dwyllo'r haul
fod nos yn ddydd;
dyna hud eu gwybodaeth gyfoes.

Ond roedden nhw heb ddeall
mai pwynt mynediad ydi 'porth',
lle glaniai marsiandïwyr;
lle ymgomiai pysgotwyr,
wrth dynnu'u rhwydi o'r môr.

A lle annedd ac amddiffyn yw 'trecastell';
fe'i godwyd i warchod y glannau,
lle edrychid allan i weld be ddeuai,
pan droai'r llanw'n drai…

Tudur Owen is a radio presenter and comedian whose home is near Porth Trecastell. Regarding the supplanting of the native name Porth Trecastell *with the more recent (and prosaic) interloper* Cable Bay, *the argument in Wales is not so much around bilingual signs per se (some English names have a long pedigree) but the normalisation of often trivial English names, just because tourists employ them.*

Connectivity

If you choose to ignore their names and their story, then that's all you'll ever see. Just features in a landscape. Very pretty, but meaningless.

- Tudur Owen

They laid a cable here,
to connect it to the world
and, under the buttery sand,
in came the messages,
codified in noughts and dashes.

To bring light
and beguile the sun
with the notion that night was day -
resplendent in new-fangled knowledge.
But it was they who were ignorant.

Porth - a point of access,
where merchants disembarked
and fishermen conversed in their language,
hauling their nets from the ocean.

Trecastell - a fortress, a castle,
built to safeguard the seaboard
and, from there, they surveyed the horizon,
wondering at what would be beached by the tide.

As in Ireland and Scotland, debates still rage about the use of original place Welsh-language placenames. As there, when Gaelic speakers see a roadsign in Scotland, they get an idea of the topography of the place, its history, who founded it or lived there and many other details besides, before ever reaching their destination, simply because of the elements contained in the placenames. This poem rejects the preferred used of Anglicised placenames, to appease English-speaking monolinguals.

Gaisgeach

Mar chuimhneachan air Ali Abassi

Spuaig thu an uinneag,
tron sgrùd a' chailleach
na h-imirichean

led ainm nach gabh tionndadh
don Ghàidhlig
aig luchd-rèidio.

Ach, air sgàth d' oidhirp-sa
is do leithid,
lem bhlas-chainnt
is am beòil eile,
thèid an dàn seo
a leughadh.

بهت بهت شكريه

Thug preasantair agus sàr Albannach Ali Abassi naidheachdan siubhail do mhuinntir na h-Alba, tron obair aige aig a' BhBC. Roimhe seo, bha e ainmeil airson a chraolaidh taobh a-muigh ann an càraichean rèidio. Chaidh Abbasi ainmeachadh mar ghaisgeach leughadh na Gàidhlig le Riaghaltas na h-Alba ann an 2003. Chaochail e bliadhna às dèidh sin.

Champion

In memory of Ali Abassi

You broke the window,
through which the old woman
interrogates the incomers

with your name
resisting the radio types
and their Gaelicisation.

But, thanks your endeavours
and those of your peers,
in my accent
and in others' mouths,
these words
will be read.

بهت بهت شکریه

Presenter and Scottish icon Ali Abassi brought travel news to Scotland, via his role at the BBC. Prior to this, he was an known for his outside broadcasts in radio cars. Abbasi was appointed Gaelic reading champion by the Scottish Executive in 2003. He died a year later.

Dubh-sgàil

Gus Achd Cànan na Gàidhlig a chomharradh

Dubh-sgàil
air feadh Inbhir Nis.
"Cus airgead don a' Ghàidhlig,
gun sgillinn don a' ghrud."

Dubhsgail
is dè rud a-nis,
ach deise le sanas:
Bòrd na h-Eileactraigs.

Blackout

To mark the Gaelic Language Act

Blackout
throughout Inverness.
"Too much cash for the Gaelic,
not a penny to the grid."

Blackout
and now what's this,
but a suit with a signpost,
Bòrd na h-Eileactraigs.

Aithreachas

Mar chuimhneachan air Isabella Blow
is Lee Alexander McQueen

Nuair a thìodhlaic thu i,
chuir thu romhad
d' ùr-nòsan fasain a dhiùltadh
airson deise do dhualchais
a chur umad.

Fèileadh dearg is
bonaid Ghlinn Garaidh -
b' ann mar a dhiostadh tu
innleachdan Treacy,
a sgeadaich cho tric a ceann.

Tha ceist agam is
am paisgeadh tu rithist i
nad ghàirdeanan,
mar a rinn thu, mu dheireadh.

Gun fhiosta dhuinne,
am b' ann nad thaigh
no na taigh-se bha sin,
nuair a chuir i suipear
air dòigh dhut.

Is dòcha
agus an ùine a chaith thu
na leabaidh, air an là sin

Na dealbhan 's a bheil i
ri faicinn aig do ghualann,
seach nach do thagh
thu i, son Givenchy.

Regrets

In of memory Isabella Blow
and Lee Alexander McQueen

When you buried her,
you cast off
your latest creations
in favour of attire
that matched your heritage.

A red kilt and
Glengarry bonnet -
just as you rejected
Treacy's latest,
that adored, so often, her head.

I have a question,
if you'd enfold her again
in your arms, as you did
the last time.

Unbeknownst to us,
whether it was in your house
or in her house,
when she prepared for you
a last supper.

Maybe,
it was the time you spent
in her bed, that day

The photos, where she's
seen at your shoulder,
before you failed
to choose her for Givenchy.

Bha sgil aig Iseabail Blow ann am faighinn a-mach tàlant. Thathas a' creidsinn gur i a bha air cùl grunn dhaoine ann an gnìomhachas an fhasain a tha air leanntainn orra gu bhith ainmeil. Nam measg tha an t-adair Philip Treacy, agus na modailean Sophie Dahl is Stella Tennant. Ach, gu h-ainmeil chuir i sradag ann an cùrsa-beatha Lee 'Alexander' McQueen, às deidh dhi a bhith an làthair aig taisbeanadh deireadh a' cheuma aige, aig a' Cholaiste-ealain Rìoghail. Nuair a chaidh e na phrìomh dhealbhaiche aig Givenchy, ge-tà, cha tàinig an sàr obair a bha i a' miannachadh

Isabella Blow had a knack for unearthing raw talent at a distance. She is credited with being the driving force behind a number of people within the fashion industry who have gone on to become household names. Amonst these are the milliner Philip Treacy, and the models Sophie Dahl and Stella Tennant. But most famously she catalysed the career of Lee 'Alexander' McQueen, after attending his end of degree show at the Royal College of Art. When McQueen was named chief designer at Givenchy, however, the dream job that Blow had envisaged never materialised.

too many people/
events
hard to keep track
of

Treasta Falamh

> *The closure represents a diminution of the religious pluralism in Cork at a very time when, in Ireland as a whole, greater religious diversity than ever before is a mark of our nation.*
>
> *- Paul Colton, Church of Ireland Bishop of Cork*

Chrìon ur n-àireamh
gu gach ceathramh sàbaid

Gus nach robh eadaraibh deichnear cruinn
airson kaddish a ràdh.

Le sin, thàinig tost air ur teampall,
gun ach mac-talla ur n-imeachd.

Cha dìrich sibh, a chaoidh,
na trì ceumannan a dh'ionnsaigh an lagha

Agus iomadh treasta air fhàgail,
leis na teaghlaichean a thrèig ur cuideachd.

Dhùineadh dorsan an Teampaill Iùdhaich ann an Corcaigh airson na h-uarach mu dheireadh ann an 2016. Tha an Ner Tamid *cuideachd air ainmeachadh mar 'an lasair shìorraidh' - lampa comraich nach bu chòir a smàladh gu bràth.*

Binsí Folmha

Aistrithe le Sam Ó Fearraigh

> *The closure represents a diminution of the religious pluralism in Cork at a very time when, in Ireland as a whole, greater religious diversity than ever before is a mark of our nation.*
>
> *- Paul Colton, Church of Ireland Bishop of Cork*

Thráigh bhur n-áireamh
go gach sabóid i gceithre

Go dtí nach bhfuarthas deichniúr
leis an kaddish féin a ghuí.

Tháinig tost ansin ar bhur halla,
gan ann ach macalla bhur n-imeachta.

Ní dhreapófar arís a choíche
na trí chéim chuig an bimah

Féach na binsí atá anois fágtha folamh
ag na teaghlacha a thréig bhur gcuideachta.

Empty Pews

The closure represents a diminution of the religious pluralism in Cork at a very time when, in Ireland as a whole, greater religious diversity than ever before is a mark of our nation.

- Paul Colton, Church of Ireland Bishop of Cork

Your number dwindled
to every fourth sabbath

Until ten men could no longer be gathered
to say kaddish

And so your shul fell silent,
but for the echo of your departure.

You will nevermore
ascend the tree steps to the law

The pews now emptied
of the families that relinquished your unity.

The Cork synagogue closed its doors for the last time in 2016. The Ner Tamid *is also known as 'the eternal flame' – a sanctuary lamp that should never be allowed to burn out.*

Ola

We can do it. We are going to do it.
There is no alternative.

- Dolina NicIllFinnein

Nuair a chunnaic mi thu,
son a' chiad uarach,
cha robh mi riamh an dùil
do shealbhachadh

No nach robh agam
an còir d' fheuchainn -
a beantainn riut.

An rud nach buin riut, na buin dha.

Bu tu cruth-tìre nam famhair,
togte leis an Tighearna
'S a làmh, an nàdar fhèin -
clachan is feur cruinn còmhla

Ach, le iùilean fìor,
togaidh sinn àite iomallach,
rìoghachd an sgleòtha
is teine-sionnachain.

Le balla togte
le dearbh-bhriathar
is gnàth-teagaisg,
roinnidh sinn an rìoghachd.

Togalaich gleus-cainnte,
loidhnichean nach tig am bàrr
air làraich na tìre,
ach air mapaichean ùr on chlò

Is an ola,
a' builgeadh fodhainn -
an litrich e ar n-ainmean
air suail na fairge?

'S ann leamsa a tha e.
Chan fhaigh thu boinneag dheth.

Oil

We can do it. We are going to do it.
There is no alternative.

- Dolina NicIllFinnein

When I saw you,
the first time,
I didn't expect
to own you

Likewise, no right
to behold you, either -
to lay down my hand.

Don't touch what isn't yours.

You were a landscape, gigantic,
built by the Lord,
and his hand, nature itself -
stone and grass gathered together

But, with true landmarks,
we build a liminal space,
a kingdom of vapour
and will-o-the-wisp.

With the wall
built on axiom
and dogma,
we will divide the kingdom.

Constructions of clauses,
lines that don't appear
on the scars of the land,
but on maps, hot off the press

And the oil,
bubbling beneath us -
does it spell our names
on the swell of the tide?

It's mine, all mine.
You'll not get a drop.

Bidh neo-eisimeileachd againn fhathast. Air 18mh na Sultain, 2014, nuair a bhuail an gleoc aig meadhan oidhche, dh'atharraich mi m' inntinn agus chan eil mo rùn ach air fàs. Sgrìobh mi seo mus d' ràinig mi an co-dhùnadh sin.

We'll have independence yet. On 18th September, 2014 as the clock struck midnight, I changed my mind and my resolve has only grown since then. I wrote this before I'd had my epiphany.

old poem

Losgadh na h-Ìomhaighe

Nach las iad e
is am beachdan gun stiùir.
Leis an luaithre
nach cruthaich sinn
rudeigin brìoghmhor.

Nan deigheadh roimhe ainmeachadh
neach-poileataigs a bha
riamh airidh air beannachd,
leumainn fhìn sna lasairean
is losgadh m' aoirean cho math
ri ùrnaighean tlachdmhor.

Nach diùlt sinn e –
leagadh ar pròise brùite.
San smùid,
nach guil sinn
briseadh ar dùil lùthmhoir.

Nan deigheadh roimh' a ghoirteachadh
ìomhaigh cruinn cruadhmhoir,
dh'fhulaingeadh e bròn an t-sluaighe
is talla na pàrlamaid,
làn mhàrtarach –
cnuasachadh rùn mhonmhoir.

Nach glèidh sinn iad –
an fheadhainn leònte.
Leis an teine,
nach soilleirich sinn
aisling saoghail iochdmhoir.

San t-Samhain, 2014, dh'innis The Guardian gun robh Alec Salmond, a bha aig an àm sin na cheannard air a' Phàrtaidh Nàiseanta, air Osama bin Laden, Angela Merkel agus grunn phàpan a leantainn ann a bhith a' cosnadh an urram amharasach is gun deach an ìomhaigh dheth a losgadh air Oidhche nan Gealbhan, ann am baile Lewes ann an Sussex.

Burning Effigy
Owerset bi Stuart A. Paterson

Let them set it alow,
alang wi their camsteerie thochts.
An let us wrocht
fae the eshes
something byornar.

Gif Ah fun a politeecian
tae wham Ah'd bend the nap,
Ah'd loup intae the bleeze
an ma satires wad catch licht
alang wi thur douce prayers.

Let us hoy it awa -
the burnin o wur broukit pride.
in the reek
let us greet
the brash o wur lichtsome dwams.

Gif e'er there wis goupin
a bowsie effigy,
it maun thole the dwynin o yin an a,
the commoners,
hooses o Parliament,
lined wi martyrs -
the graith o wur hugger-muggery.

We'll haud them close -
thur gowpin few.
Wi the lowe
let us licht a dwam
o a couthie warl.

Burning Effigy

May they burn it
and their misguided thoughts.
With the ash
may we create
something meaningful.

If ever was named
a politicker
deserving of genuflection,
I would leap into the flames
and my satires would burn
with those sweet prayers.

May we reject it –
the burning of our bruised pride.
With the fumes,
may we weep
the breach of our supple dreams.

If ever was wounded
a corpulent effigy,
it would suffer a populist grief
and the houses of parliament,
lined with martyrs –
the fruits of our uproarous desires.

May we hold them –
the wounded few.
With the fire,
may we illuminate
vision of a merciful world.

In November, 2014, The Guardian reported that now-former SNP leader Alec Salmond had followed Osama bin Laden, Angela Merkel and several popes in earning the dubious honour of having his effigy burnt on Bonfire Night, in the Sussex town of Lewes.

Ceilearadh

Chuir mi crìoch
air #LàNaGàidhlig
le dath dubh a' phinn,
fliuch, air duilleag dàin ùir.

Nach sin an dòigh as fheàrr
ar cànan a cheilearadh?

Twittering

I put and end
to #GaelicDay
with the quill's ink
wet on a new poem's page.

Was there ever a better way
to twitter a language?

Ròs Geal

Mar chuimhneachan air Jo Cox MP

Nach geal camhanaich Shiorrachd Eabhraig,
bhan an èisg ri thaisteal na maidne,
boireannach is sari sìoda ri linig,
dearg ri gilead nam botal-bhainne.

Nì nighean-sgoile slighe le àilgheas,
ceum a cois trast clachan-chàsaidh,
gach gin dhiubh glas, sleamhainn bho fhras
a bhàth na sràidean an Siorrachd Dhè.

Nach fharsaing a saoghal bho uinneag-sgoile,
cnocan 's dàlaichean nan righe roimhpe,
gach uile dòchas an gleans nan driùchdan,
gan sùghadh gu lèir le teas na grèin'.

Cò leis an tìr ga chur air thoiseach
an t-saoghail gu lèir, na iolrachd shoilleir?
Gach cinneach 's coigreach ùr o fhuadach,
gun ach fàilte pais is slais don smior.

Nach bàn na leacan air sràidean Bhirstall,
far an laigh ann bean uasal ionadach na sgìr'
is peilear innte o inneal iarainn,
thug bàs do fhlùr nach blàthaich a-rithist.

Dùisg an talamh,
de dh'ùir dèan falamh
gus faigh an ròs geal suaimhneas buan.

Chaidh Jo Cox MP a mhurt air 16mh an Ògmhios, 2016. Anns a' Mhàrt, 2018, dh'fhoillsich The Guardian *gu bheil faisg air leth-phàirt de bhoireannaich ann am poilitigs air a dhol an aghaidh droch dhìol no fòirneart.*

White Rose

In memory of Jo Cox MP

How white the Yorkshire dawn today,
the fish-van on its morning wind,
a woman stands, with a silk sari,
red beside milk bottles - blank.

A school-girl's proud diagonal stride,
her footsteps cross the cobblestones,
each one grey, showered smooth
from God's own county's dawn deluge.

How wide her world from school-room window,
hills and dales laid out before her,
every hope in a dew-drop shimmer,
dried out to nought in midday shine.

Who owns this land, puts *Britain First*,
before the world reflects the sun's plural rays?
Each gentile, stranger, fresh-evicted -
our welcome wounds with weapons raised.

How pale the flags on a Birstall street,
where a noble local woman lies
with bullet placed by an iron tool,
that blew the chance of second bloom.

Dig up this land,
of soil make empty,
to give the white rose repose eternal.

Jo Cox MP was murdered on 16th June, 2016. In March, 2018, The Guardian *published that almost half of women in politics have faced abuse or violence. This translation was set to music by Malina MacDonald Dawson.*

Geallaidhean

Brexit, nul points!

Cuine chaidh a chluinntinn,
an duine a ghlaodh ris a' ghaoith

Is na geallaidhean air an aiteamh,
gus gealagan fhailleanachadh?

'S dòchas beag a tha sin,
nach mair ach fad ainmsir

Gus nach eil againn air fhàgail,
ach dìleas na dìle.

Cò riamh a lorg politigear,
nach do dh'inns breug

No uas-fhlath a bha deònach,
a leantainn, làmh-fhalamh?

Ge b' e prionnsa òg alainn,
no amadan sailleach òglaidh

Na shuidhe mu dhealbh-cùil
Oir Dhè Rìoghail.

A bheil ùidh aca
an cruinnich sinn

An Downing Street,
no Taigh an Ròid,

Pàrlamaid na Brùiseil
no anns an lios-càil?

Nach iadsan an fheadhainn,
a shiubhlas *first class*,

A chlaonas na cosgais,
ge 's bith am blas?

Dè an diofair dhaibhsan,
a bheil thu beairteach no bochd?

'S e bochdainn tha faisg,
tha nas buinneach thar chàich

Gu dearbh.

Nach sin an teachdaireachd
is tu brùchdadh don bhòt?

Ri car a' mhuiltein
is an gealladh a' tighinn dhut.

Coltach ris na taghaidhean Ameireaganach na bu thràithe, dhùisg mi air madainn 24 Ògmhios, 2016 le mì-chreidsinn gu tur. Bidh sinn an-còmhnaidh Eòrpach.

Voos

Owerset bi Stuart A. Paterson

Brexit, nul points!

When'er wis a chiel tentit
whae skreigh't et the wun

An the voo thowed oot
tae seed the snawdrap?

It's a wee howp yon
whilk lests jist yin season

Till a we hae left's
the bowder's fell lealty.

Wis there e'er a politeecian
didnae lee

Nor a laird wi a likin
fur peyin through the neb?

Gin a bonnie young Prince
nor a crabbit auld taed

Baukit afore
Royal Deeside's braw launs.

Wad ony keep mind
gin we gaithered thegither

In Downing Street
nor the Palace o Holyrood,

In wur ain kailyaird
nor in Brussels' Big Hoose?

Ur thon no the yins
whae stravaig First Cless,

Whae pauchle their expens,
nae matter their accent?

Whit care they gif
yer mintit nor puir?

The hame-toon puirtith
owergans them a

Richt eneuch.

Are thur no yer lairins
as ye breenge oot tae vote?

Gan heelster-gowdie
for glib-gabbit voos.

As with the earlier American election, I awoke on the morning of 24th June, 2016 in utter disbelief. We will always be European.

Còdan

sluagh-ghairm

Maggie May?

Mac an Tòisich tweel
triubhas

spong
Can sa Ghàidhlig e.

ubub bròg

creagan agus beanntan
càrn

uisge-beatha;
cabar
smidirín.

'S math sin.

Codes

What can you really know of
lands you minimise on weather
maps, where weather-men once
obstructed western horizons?

Let the rain pour down to soothe a
seething sense of pride,
which you would snuff out
with pre-supposed assimilation.

I speak not, here, of centuries past,
but of recent memory.
I heard you but today, talking
of *won't* and *wouldn't*,

Your bus-side slogans read in
simple code for *shouldn't*,
wouldn't you say,
Maggie May?

So when you turn your London corner,
grey mackintosh on your back, tweed
trews and umbrella emerging
from a black Maria

I am no spunk -
You do not speak for me.

For you have plucked the birds
from our skies,
they beat their wings in the
hubbub, the brogue
plugged in their beaks.

They will not mourn from the
crags and bens - place pebbles
on the cairn of Union.

We'll put away some usquabae,
toss that weighty caber, till it
splits into smithereens.

Smashing.

Nua-bhàrdachd

Mar chuimhneachan air an Àrd-ollamh Dòmhnall MacAmhlaigh

Fhuaireas an-diugh naidheachd do shiubhail,
's do choltas a' deàrrsadh à leabhar eile,
nach glèidh do rannan, ach aodainnean, còmhla,
is sinn nar sgeannadh ort - taobh eile sgrìn.

Bu tu isean an deireadh linn, nach do cheangal
bràithrean cinnidh ach bràithrean d' ealain
is do làthaireachd na lòchran a shoilleirich
linn litreachais, thèid seachad le do cheala.

Nì mi cnuasachadh air briathran nad inntinn
fhathast - ìomhaighean nam bloighean binne.
Fleòdragan nan criomagan nach bhlàthaich ann am
bàrdachd shlàn - caillte a-nis do dh'fhilleadh tìme.

Dàn nach cuirear rid thràchdasan 's rid aistean,
gan tionndadh, a-nis, do chlàran chloiche-ghràin -
urramach is dian-ionnsaichte 's iad nan
tiomnaidhean fhèin ar n-eachdraidh gun phrìs.

Cha bu tu duine an cruth marmoir - nad ìomhaigh
's do shùilean ri dùr-choimhead ann an
talla uallach gun bhuaireadh ghath-grèin',
ach bàrd beò gu bràth nad bhriathran fhèin

'S mar sin, chì mi a-rithist thu air creagan
geàrrte fad ràithean bho oirthir Bheàrnaraigh Mhòir,
le sùil air na teachdail, a gheallaidhean - dàn ùr
a nì dannsa an roithleagan clisgeach an t-siabain.

Mire brìosain ri duilleagan an duanaire - sgiobag
làmhan sìnte Dheòrsa 's Ruaraidh 's Iain 's Shomhairle,
ri smèideadh ort is gum bi a chèile sibh, a-rèist,
air taobh eile cuan ciùin do mhic-meanmna.

Modren Poetry

Owerset bi Stuart A. Paterson

In memorie o Professour Donald MacAulay

News cam the day o yer deein
an yer eemage, bleezin oot fae anither beuk
that disnae keep yer stanzas but yet semmle
o semblants an we glower in – ayont the screen.

Ye were youngest, last o a line that jyned
a kindred atween brithers in airts
an yer bein there itsel a lowe, lichtenin
an epoch o scrievin gane done wi yer daith.

Ah rowe in thon wirds pit by in the harns
as yet – picturs, quait sang-like smoorikins.
The smush o the hail no brust furth
in fu verse – gane noo tae a skair in time.

Nae poem paddit amang yer pandectes,
thon chynged noo for aye intae merbill stanes –
cherisched an thocht o as gey
testamentarie pages o oor hail historie's buik.

Ye were nae stookie-eemage – stellt
as if yer een micht precognosce some
halie haa, no fashed ava bi sunlicht
but a makar makkit daithless bi yer wirds

An sae Ah think o ye, heich on thur crags
skewed oot bi the seasons o Great Bernera's shores,
wi ane ee on whit's comin, its aiths - a new duan
birlin the heelster-gowdie faem.

The win flirts, plays wi the anthology pages;
glamour o ootstreecht haun: Dod, Jock, Deek an Sorley,
cry in yer thegitherness aince mair
ayont the douce swalls o imaginin.

This poem and the translation were originally published in beul-fo-bhonn / heelster-gowdie *by Tapsalteerie in 2017. ` 7 ´ was also included, there.*

Modern Poetry

In memory of Professor Donald MacAulay

News, today, received of your passing,
and your likeness, shining out of another book,
that keeps not your stanzas but gathered countenances
and we stare in - beyond the screen.

You were youngest, last of a line
that linked a kinship between brothers in arts
and your presence was a beacon, enlightening
a literary age, that is lost with your demise.

I ruminate your words, set aside in the mind,
Still - images, sweet tuneful particles,
the flotsam of fragments unbloomed in full verse,
lost now to a crease in time.

A poem never placed amid your treatises,
transformed now into marble tablets -
revered and reviewed like the very
testaments of our precious history.

You were no marble statue - petrified
as if your eyes might blankly scrutinise some
hallowed hall, unperturbed by sunlight beams,
but a bard made eternal by your own words.

And, thus, I envisage you on the crags
cut out by the seasons of Great Bernera's shores,
with an eye on the future, it's promises: a new ode
dancing the skittish whorls of the sea-spray.

The breeze flirts, frolicks with the anthology's pages -
slight of extended hand: George, Iain, Derick and Sorley
call for your convergence, once more
beyond the quiet swells of the imagination.

Nuair a chaochail An t-Àrd-oll. Dòmhnall MacAmhlaigh ann an 2017, thàinig linn bàrdachd gu crìch. 'S esan a dheasaich an duanaire Nua-bhàrdachd Ghàidhlig a chuir bàrdachd ron t-saoghail. Ach, cha robh bana-bhàird nam measg. Nuair a gheibh sinn duanaire bàrdachd an fhicheadaimh linn tha mi an dòchas bàrdachd nam ban is nan daoine LGDTC fhaicinn ann.

When Prof. Donald MacAulay passed away in 2017, a literary era passed with him. It was he who edited Nua-Bhàrdachd Ghaidhlig which brought Gaelic to world-wide readerships. It included no women's writing, however. When we come to anthologising the twenty-first century I hope to see women and LGBTQ people included.

Ann an Sandy Bells

Mar chuimhneachan air Calum Iain MacGill-Eain

Nar suidhe cruinn, an cearcall,
thog sinn òrain
a b' aithne dhut, 's cinnteach.

Tha mi fhìn air do ghuth,
brìoghmhor ceòlmhor fhathast
a chluinntinn,
leabaichte ann an cnagan is
claisean sorcair chèir,
ga fhighe a-steach do
stuth do theipichean.

Ach an là sin, ann an Sandy Bells,
bhriseadh ar rannan
le guth cronnachaidh:

Will ye be singing in Gaelic all day?

Chuireadh tost oirnn,
mar a chuireadh roimhe,
agus ar leam am biodh tu
toilichte, is a' seinn leinn –
ge b' e càite a bheil thu an-dràsta –
mar a thog sinn 'Suas leis a' Ghàidhlig'
as ùr.

Às deidh dhan bhuidheann-iomairt Misneachd fianais a thogail taobh a-muigh an Taighe-thasgaidh Nàiseanta agus bonaid Ghleann Garadh air taisbeanadh airson nan camarathan, chaidh feadhainn againn gu Sandy Bells agus sheinn sinn òrain Ghàidhlig. Cha robh seo a' còrdadh ri fear a bhiodh a' frithealadh nan seiseanan, tric, oir b' fheàrr leis blas na Beurla.

In Sandy Bells

In memory of Calum Iain MacLean

Seated in a circle, together
we lifted songs
I'm certain were familiar to you.

I have heard your own voice,
pith and quintessence intact,
embedded in the cracks
of a wax cylinder,
inter-woven
with the stuff of your tapes.

But on that day, in Sandy Bells,
it was the voice of censure
that had our quatrains disrupted:

Will ye be singing in Gaelic all day?

Silence enforced upon us,
as it ever was,
I wondered if it would cheer you,
if you'd sing with us –
from wherever you now find yourself –
as we lifted 'Suas leis a' Ghàidhlig'
once more.

After pressure group Misneachd organised a protest outside the National Gallery and a Glengarry was paraded around for the cameras, some of us went to Sandy Bells and sang some Gaelic songs. This didn't chime so well with the English-language taste of one of the session regulars.

Soisgeulaich

Do Mhàiri Anna, Gareth
is Còisir Soisgeul ann an Ì

Nuair a thèid a' ghrian fodha,
màirnidh mi oirbh, cuairtichte
le clachan aosmhor –

Nur cluasan, ruitheaman
ur guthan fhèin, gan cur ri
ceumannan mhanach marbh.

Nuair a dhùisgeas sibh air
madainn òg, chì sibh
a' ghrian ùr ri èirigh.

So-dhèantas slighe romhaibh,
le ur cuimhne air na seachad,
is beachd air càit' an tèid sinn

leis a' chànan –
a' treabhadh clais ùr ann an
leantaileachd shaoghalmhor.

Nochd a' chòisir Soisgeul ann an Abaid Eilean Ìdhe ann an 2017, fo stiùir Màiri Anna NicUalraig is Gareth Fuller. Chaidh an dàn seo fhoillseachadh roimhe ann an Dùileach *(2021, Evertype).*

Evangelists

For Mary Ann, Gareth
and the Soisgeul Choir in Iona

When the sun sets,
I think of you, surrounded
by ancient stones –

In your ears, the rhythm of
your voices beats to the
echo of dead monks' soles.

When you wake to a new
morning, it is a new sun
ascendent you will see.

The possibility of a new path
unfolding, memory of the past
informs where we will take

our language –
plough a new furrow
in a world-wide continuum.

The Gaelic choir Soisgeul sang in Iona Abbey in 2017, under the leadership of Mary Ann Kennedy and Gareth Fuller. This poem was published previously in Dùileach *(2021, Evertype).*

Outlander

'S e deàrrsadh ciad driùchdan an fheòir
a lìonas an seòmar is e dìon sna gleanntan,
chìthear druim, guailnean leathann
am peiteag ghoirid clòtha. Sgaoilte a
chiabhagan cho ruadh ri earball
sionnaich san aimsir Ghàidhealaich.

Nise, òran na Beurla Gallta,
clach-cearcall plastaig gar bruthadh
air ais, do thràth a chaidh seachad.

Sa bhad is sinn am Broch Tuarach,
tè dhonn is aodann crosta oirre,
a deas-chainnt nar cluasan.
'Mo duine' [sic], a chanas e rithe:
cànan àrsaidh crochte am
mac-talla eachdraidh, na chaglachan,
ùr-bheò am beul nuadh.

Poldark

'S e deàrrsadh ciad drilean a' chuain
a lìonas an seòmar is e dìon air na creagan,
chìthear druim, guailnean leathann
an còta dubh fada. Glacte a
chiabhagan gualach, gleansach
fo ada-peileig trì-bheannach.

Nise, 's e fuaim na fìdhle,
brìosan na mara gar bruthadh
air ais, do thràth a chaidh seachad.

Sa bhad is sinn an Nampara,
tè ruadh le pàiste na h-uchd is
a guth a' tàladh ar cluasan.
An t-sèist, nas sine fiù 's:
cànan àrsaidh crochte am
mac-talla eachdraidh, ga sheinn
ùr-bheò am beul nuadh.

Chòrd Poldark *rium glè mheath, gu seachd àraid mar a chaidh a' Chòrnais a chleachdadh ann an seinn Eleanor Tomlinson, ann an riochd Demelza. 'S truagh, get-tà, mar a tha mearachdan bunaiteach ann an Gàidhlig ciad leabhraichean* Outlander *agus gu leòr seòid na Gàidhlig a rinn gach dìcheall an sreath telebhisein a dhèanamh na bu Ghàidhealaiche.*

Outlander

The room fills with first dewdrop sparkles
and sheltered, he stands in the glens,
back, shoulders broad
in a short tweed coat. Ringlets aflame,
like foxtails in the Highland climate.

Now, it's some song in Scots,
a plastic stone circle presses us
back into an era long passed.

Suddenly shifted, in Lallybroch
a brown-haired woman, face perplexed,
her southwords fill our ears.
'My hoospand', he says to her: could be
language or archaism, suspended
in history's echo and chewed,
moribund in a new mouth.

Poldark

The room fills with first oceanic sparkles
and sheltered, he stands on the cliffs,
back, shoulders broad
in a long black coat. Ringlets of coal,
glossy yet curtailed
in the felt of a tricorn hat.
Now, it's fiddle sounds,
the sea breeze presses us
back into an era long passed.

Suddenly shifted, in Nampara
a red-haired woman, child at her breast,
her voice caresses our ears.
The refrain, older still: could be
language or archaism, suspended
in history's echo and sung
back to life in a new mouth.

I absolutely loved Poldark, *especially the way the Cornish language was used in songs sung by Eleanor Tomlinson, who played Demelza. It is unforgivable, however, that fundamental mistakes in the Gaelic remain in the first few* Outlander *books, despite so many ambassadors of Gaelic language and culture doing everything they could to make the television series as authentic as possible.*

Bana-ghaisgich

Do Dholina
air fhonn le Julie-Anne NicPhaidein

808
Thog i a claidheamh is a sgiath,
leig i sgread is i 'ruith dhan chòmhraig
le dànachd Ghàidhealach is Chruithneach,
fuil is guirmean air a bodhaig.

1618
Thogadh urrag ruadh Ròghadail
a dh'fhàs is 's dàin a rinn i le toighe:
a ghabh gun chòir urram fearail
is chaidh fòid oirre, le beul foidhe.

1918
Chuir i uimpe sròl mìn sìod',
ròsag ribein uaine 's corcair,
gus coiseachd sràid air corra-bhìod
is riasladh iallan ruighe corsaid.

2018
Cuiribh air chùl droch-dhìol antighearn'
a chùm balbh briathran banail,
gus làmh an uachdair thoirt on fhoillear
is maoidhearan a chur air aineol.

2028
Thog i a peann is a h-òran
gus a dàn a chur ris a' chòmhradh
is fianais thogail fhèin is ùpraid
feuch an cur an gnìomh gun shòradh.

Ghlèidh an t-òran seo a' chuach son an òrain ùir as fheàrr aig a' Mhòd Nàiseanta Rìoghail ann an 2018.

Women Warriors

For Dolina
set to music by Julie-Anne MacFadyen

808
High she raised her sword and shield,
screamed her way into the affray,
with the audacity of Pict and Gael,
blood and woad on her body.

1618
A red-haired girl was raised in Rodel,
who grew to write poetry with precision:
assuming a role reserved for men,
they buried her – mouth asunder.

1918
She wrapped around her a soft silk sash,
a ribbon rosette in green and purple
to walk the street with quiet stealth
and rip the laces, taut within her corset.

2018
Turn your back on tyrants' misdeeds,
that kept the women's words mute,
as in taking the upper hand from the abuser,
brutes and bullies will be sent into exile.

2028
High she raised her pen and song
to add her own destiny to discourse,
to show dissent and raise uproar
and stand by her word without impediment

This song won the troiphy for the best new Gaelic song at the Royal National Mòd in 2018.

Cyanea Capillata

The sea, the snotgreen sea, the scrotumtightening sea.

- James Joyce, Ulysses

A-muigh, sa Mhuir Mhanainneach,
tha am muir-tèachd gun fhiosta ron loidhne
ga tharraing fodha air clàr a' chuain.

Le gach suail anabasach
thèid grunnd na mara a dhùsgadh,
's e gun chomas ro neul na gainmhiche –
ga bhuilgeadh gu coinnleag a' bharra.

A ghreimichean gan sgaoileadh às a dhèidh
bho a reub a lìn ruaidh,
coma leis cò creutair thèid a ghuineadh
agus glas na creige air,
oir 's ann sa cheathramh seo
far as esan leòmhann nan tonn.

Chaidh an dàn seo fhoillseachadh ann am Poetry Scotland. *Dh'fhoillsich mi bàrdachd thràth an sin cuideachd, mus an do chuireadh* Deò *an clò.*

Cyanea Capillata

The sea, the snotgreen sea, the scrotumtightening sea.

- James Joyce, Ulysses

Out, in the Irish Sea,
the jellyfish is ignorant to the line
drawn below on the nautical map.

With each cloudy swell
the seabed is awoken,
and he is powerless before the swoon of sand –
rendering him a blister on the shimmering surface.

His tentacles disperse behind him
from the tangled auburn mass,
unmoved by any creature caught,
paralysed in the sting,
because in this quadrant,
he is the lion of the waves.

This poem was published in Poetry Scotland. *I published some early poetry there, before* Deò *was in print.*

Uinneagan-ròis

Do mhuinntir Pharais, bho bhàrd Eabhraige,
air oidhche co-lasadh Notre Dame

Cluinnidh sinn briseadh ur glainne
thar dailthean sìor-uaine Eabhraige
is ur n-uinneagan, ur ròsan, a' leigeil dhiubh
am bileagan nam bloighean.

'S aithne dhuinn na deuran sin,
boinneagan a' bhogha-fhroise fhèin,
gan caitheamh chun nan leacan
far an leagh iad ann an sgaoileadh dhathan,
mus loisg an lasraich iad gu luaithre.

Le briseadh là, 's aithne dhuinn,
gur e dìleab dealanaich a tha sin:
ga tilgeil às an iùnnrais, na bhalt na faire.

Mas toil an Tighearna bha sin
mòr-euchdan na daonnanachd a dhiùltadh
guidheam dìlse dur n-ùrnaighean,
gan cagarsaich tron cheò, tha cho
sgrìobach do shùilean ur co-thionail.

Air 15mh an Giblean, 2019, lasadh an teine fo mhullach cathair-eaglais Notre-Dame ann am Paris. Thachair an aon rud san Iuchar, 1984, nuair a bhuail dealanaich The Minster *ann an Eabhraig. Bha mi ann* in utero *aig an àm agus ghabh mo mhàthair e mar mhanadh.*

Rose Windows

Do mhuinntir Pharais, bho bhàrd Eabhraige,
air oidhche co-lasadh Notre Dame

We hear the smash of your glass
across the verdant Dales of Yorkshire
and your windows, your roses, letting
their petals in fragments.

We know those tears,
droplets of the rainbow itself,
disspating across the pavement slabs
where they shed their colours, melting
before the blaze burns them to ashes.

With daybreak, we recognise,
that is the legacy of lightning:
cast out of the tempest, without warning.

If this was God's will
in rejecting the great works of humanity
I wish you truth in your orations,
whispered through the fumes,
that left your congregation's eyes in such pain.

On 15 April 2019, the fire broke out beneath the roof of the Notre-Dame cathedral in Paris. Tha same happened in July, 1984, when York Minster was struck by lightening. I was in utero *at the time and my mother took it as an omen.*

Dòrn

Às dèidh Owen Jones

Ged is corra chùis
a nì ar sgaradh,
an-diugh, cha dèan mi
poilitigs dhe na pearsanta,
ach seasamh, maille riut,
gus d' adhbhar a dhìon.

An-diugh 's do chas
a thig dham bhròig-sa agus
mi, 's corra fhear coltach rinn,
a bha riamh nad àite -

'S tu nad laighe thar nan leacan,
shìninn mo làmh eile riut,
taic mo bhois ri d' uilinn,
mar a shìneadh do mhàthair fhèin,
's mo mhàthair thugamsa,
gus do shlaodadh dha do chois.

Dhùininn mo chorragan
mu do mheuran agus le
òrdag shuathainn am fuil
bho do bhathais gus
an dòrn sin a chumail an àrd,
ri sealltainn nach fhuiling sinn
an uabhas an là sin,
ach là saoirse phearsanta
a tha romhainn.

Tha fòirneart gràin-gèidh fhathast na fhìrinn beatha do daoine gèidh, ge càite am bios iad a' fuireach.

Fist

After Owen Jones

Though there are matters
which divide us,
today, I'll not
politick the personal,
but stand your safeguard
as you stand your ground.

Today your foot now
fills my boot as I,
and the many men like us,
have been where you are now -

Stretched out across the flagstones,
I'd have extended my hand,
my other palm unto your elbow,
just like your mother would,
and mine, for me, and
uptowed you to your feet.

I would have clenched my fingers
round your own, and with
my thumb, eased the bloodflow
from your brow and, there,
uphold that fist, showing
we will resist that day's barbarity,
look to a day of personal safety
unfolding before us.

Homophobic violence continues to be a fact of life for gay people, wherever they live.

An Dùbhlachd

Às dèidh còrr is deichead de Theanntachd Thòraidheach
Air fhonn le Ailie Robertson

I

Tha an t-sràid a-nis cho sàmhach
fo sgàil na Dùbhlachd ciùin'
is do shùilean a' bioradh m' aire,
thusa crùbte air an fhàd-bhuinn.

Tha thu 'g èigheachd gus m' aire ghlèidheadh,
ach chan eil freagairt dhut nam bheul
agus an teanntachd air mo bhilean,
mar a thugar air ar saoghal.

Nan cuirinn mo làmh-sa na mo phòca,
cha bhiodh agam dhut ach sgillinn ruadh,
chan eil ach teanntachd an-seo –
na mo bhroinn, na mo sgamhain,
's mi gun ach dùrachd dhut nam shnuadh.

II

Tha mi coimhead a-mach tron uinneig,
fo sgàil na Dùbhlachd bàtht'
is mo chuimhne air do choltas
a leanas mi anns gach àit'.

Tha mi 'saoilsinn an d' fhuair thu dìnnear,
no bheil do bhrù de bhiadh-bheatha gann,
agus an teanntachd thugar oirnne,
gun diù am mair thu fiù 's tron là.

Tha mi air bhith diùltadh an fhòin-làimhe,
chan eil leamsa ach sgillinn ruadh,
chan eil ach teanntachd an-seo
nam chridhe 's nam inntinn,
oir 's e 'n aon àireamh nì mo ruaig.

III

Nuair thig briseadh là na Nollaig
is grian a' Gheamhraidh ro mo shùil,
's e mo lèirsinn thèid a dhalladh,
le gilead bhleideagan fuar'.

Bidh mi taingeil de taigh is teine
a chumas rium-sa blàths na ràith',
dh'aindeoin teanntachd anns an sgìre,
air cuideachd chòir is mi nì fair'.

Chaidh fonn a chur ris a' bhàrdachd seo le Ailie Robertson airson taisbeanadh air-loidhne aig The Nevis Ensemble.

The Depths of Winter

After more than a decade of Tory Austerity
Set to music by Ailie Robertson

I

The street is swathed in silence,
under the veil of a mild December
and your eyes prick my conscience,
as you huddle in the doorway.

You call out to me, for my attention,
but my mouth has no answer for you,
and my lips can only tighten
with stringency imposed upon our world.

If I placed my hand inside my pocket,
all I'd have for you is my own poverty,
only tension here –
in my body, in my lungs,
and my expression of goodwill.

II

I look out of the window,
under the veil of a sodden December,
and I remember your face –
it follows me in every place.

I wonder if you even got a dinner,
or if your belly is empty of daily bread,
and this severity brought upon us,
without a care if you will last the day.

I've been avoiding the mobile,
I am down to my last penny,
only tension here
in my heart and mind,
because the same number hunts me down.

III

When Christmas dawn breaks,
the winter sun before my eyes,
my vision will be blinded
by the whiteness of the frozen flakes.

I will be thankful for home and hearth
that affords me seasonal cheer,
despite my locality's austerity
I will watch out for those I hold dear.

This poetry was set to music by Ailie Robertson for an online showcase with The Nevis Ensemble.

Breith / Bàs / Pòsadh

Mar chuimhneachan air na mìltean de dhaoine a dh'eug ri linn a' Choròna-bhìorais, air sgàth mobhsgaid Boris Johnson agus an riaghaltas coirbte Tòraidheach aige.

"We should have planned this sooner,"
ars ise,
a' tionndadh dhuilleagan
Perfect Wedding.
A cheann air a thogail a-nis,
tha gathan-grèine Sàbaid Earraich
air a h-aghaidh a shoillseachadh.

Na uchd,
tha an leanabh ri rùchdail,
mar a fhreagradh e fhèin am fòn-làimhe,
a' priobadh
mar as èiginneach a' chùis,
ged a tha e turrach air a' bhòrd-chofaidh.

"Had you better get that?"
ars ise.
Cha dèan e ach spleuchdadh air ais, gu bàn.

Briogadh òrdaig air a' *remote*
agus, le sin, neach-naidheachd a' Bhìob balbh,
mus faigh ruitheam glagach a' chiùil-thòisich cothrom
air mac-talla, gu bagrach, mun t-seòmar.

"It's just Dad,"
an fhreagairt aige,
a shùilean teann ri bàrr ceann a' bhalaich ùir,
"He went out for a paper
when the name was released."

Badeigin,
am measg meadhan-dhuilleagan an *Telegraph,*
Tha ùghdar air daingneachadh
gur pàiste nach bu shine na sia seachdainean
a b' òige, an seo, a fhuair bàs.

A′ ghnè,
air an là a dh′eug,
gun fhiosta fhathast,
agus an staitistig seo, a rèir choltais,
gun chunntais gu ruige seo,
ga chumail riutha-san, an là an diugh.

A′ leughadh an earrainn
airson dearbh-aithne, ach sin
neo-ainmeach ann am bàine
eadar loidhnichean a′ chlò.
B′ e prìobhaideachd aig an àm seo,
a bh′ ann an iarrtas nam pàrant.

"Did we register the birth?"
a′ cheist aige,
a′ filleadh a′ phàipeir
gus an sgrùd e an rugbaidh.

"Yes, of course,"
an fhreagairt aice,
*"The registrar came round,
but you had left the room."*

Births / Deaths / Marriages

In memory of the thousands of people who lost their lives to the Corona-virus, because of the incompetence of Boris Johnson and his crooked Tory government.

"We should have planned this sooner,"
she says,
turning the pages of
Perfect Wedding.
His head now raised,
the sunlight of a spring-time Sunday
illuminates her face.

In his arms
the baby gurgles,
as if to respond to the mobile,
which blinks,
like it's urgent,
though inverted on the coffee table.

"Had you better get that?"
she asks.
He stares back, blankly.

Jabbing thumb on the remote,
she censors the *BBC* newsreader
before the theme-tune's thudding percussion,
might echo, ominous, around the room.

"It's just Dad,"
he replies,
eyes trained on the new boy's crown,
"He went out for a paper
when the name was released."

Somewhere,
in the *Telegraph*'s middle pages,
a journalist confirms
a six-week-old –
the youngest, here, to die.

The sex,
the exact day of the passing
yet unclear,
it seems this statistic,
previously uncounted,
might just be tacked onto today's.

He scans the paragraph for an
identity, but it remains
anonymous in the whitespace
between the lines of newsprint.
Privacy at this time
was the parents' request.

"Did we register the birth?"
he asks,
folding the paper so the
rugger might be perused.

"Yes, of course,"
she answers,
*"The registrar came round,
but you had left the room."*

Là nam Màthraichean, Cnoc a' Ghobhainn

Bhon fhlat againn, aig a' mhullach
tha mi a' coimhead sìos ris
is esan crom ris an doras -
leis fhèin air an tarmac ghlas.

A shùilean a' bioradh tron ghlainne,
ach gun duine ga mhothachadh,
tha e a' leigeil e leis a cheumannan a thoirt seachad
farsaingeachd an togalaich,
le aodann ris na h-uinneagan
fad an t-siubhail.

Làmh ga chumail ris a mhala, feuch am faic e a-staigh,
chan eil ach sàmhchair tro dhubh an taoibh eile.

Mu dheireadh is an doras a' luasgadh,
tha e a' tilleadh thuige – làmh eile ga sìneadh a-mach,
bas sgaoilte a' smèideadh air
ach tha an tè dham buin i air
crìoch do-fhaicsinneach a tharraing
is chan fhaigh e troimhpe.

Na làimh eile, tha baga pàipeir phinc,
a ghleans a' deàrrsadh tro ghruaim an fheasgair.
Tha iomlaid ri dhèanamh leatha dheth,
gun ach faclan buidheachais gan toirt air ais.

A' tilleadh gu Mercedes geal,
tha a calpannan tapaidh a' gabhail fois na bhriogais
dhubh,
mus dèan e suidhe ann
airson an t-einnsean a dhùsgadh.
An sin, 's e thèarmann dha,
airson anail a ghabhail.

Ar leam,
a' coimhead ris,
an e sin an tìodhlac mu dheireadh,
mus tilg an dèirceach a h-anail fhèin.

Mother's Day, Govanhill

From our flat in the attic
I look down towards him,
bent against the door -
alone on the charcoal tarmac.

His eyes prick the glass,
but nobody notices
as he yields to his pacing along the building's perimeter,
his face in the windows
throughout.

Hand to brow, he peers inside once more,
but only silence permeates the darkness on the other
side.

Eventually, as the door swings,
he returns to it – a hand outstretched,
open-palmed, it beckons to him
but the woman to whom it belongs has drawn
an invisible frontier,
which he cannot overcome.

In his own hand, a pink paper bag,
its sheen shining through the gloom of the afternoon.
He makes his exchange,
in receipt of kind pleasantries alone.

Returning to his white Mercedes,
his black-trousered calves, muscular and healthy, pause
before he takes his seat.
He has a minute or two to burn,
before he rouses the engine.
There, it is his refuge,
in which to catch his own breath.

I wonder,
as I watch him,
if this is the final gift,
before the recipient breathes her last.

Taod-teasairginn

Bàrdachd thraidiseanta
air fhonn le Pàdruig Moireasdan

Slaod an taod-teasairginn nall
is ar saoghal ann an èis –
daoin' an èiginn, fo pheirghill,
's dall an slighe air ais.

Ròp ga fhighe mar dhàn dìreach,
ìomhaigh bhrèagha is làn sgoinn,
siansadh 's binne a chualadh
measg na còisir as cruinn.

Nuair a choimheadar ar linn-ne
's ath-shealladh bhios nar sùil,
saoil dè bhios sin, san dìleab,
a chùm sinn ron t-saoghal?

Oir is leinn guth ar là seo,
lìonas rannaigheachd is ceòl,
a bhlàthaich rè na stainge
's a chuir beatha fhèin an cèill.

Thogadh ceist air ar n-ealain,
mholadh sireadh oibre ùir,
ach dè nithear gun oideas
agus cothrom cho gann?

Ged is leinn tha de lèirsinn,
briathran chumail ri ar cràdh,
gun ar saothair dè thuigear
den an tràth seo is gràdh?

Nuair as mi bhios ri sgrìobhadh,
bidh mo bhàrdachd na nuall,
's brùit' mo dhùil 's air a bhriseadh,
leis na mìltean air chall.

Ach 's an tionnsgal tha faochadh,
leigheas, tròcair is co-bhann
's mar sin guidheam cruthachadh –
dhuibh a thog bogha is peann.

Slaod an taod-teasairginn nall
nuair as mi bhios an èis,
ann an èiginn, fo pheirghill,
's dall mo shlighe air ais.

Ròp ga fhighe mar dhàn dìreach,
ìomhaigh bhrèagha is làn sgoinn,
siansadh 's binne a chualadh
measg na còisir as cruinn.

Chaidh an dàn seo a sgrìobhadh do fhonn aig Pàdruig Moireasdan, a chaidh a sgrìobhadh do ghuth Ainsley Hamill. Sheinn i e airson an taisbeanadh air-loidhne againn, Ocaidich, *a thachair anns an Dùbhlachd, 2020.*

Lifeline

Traditional poetry –
set to music by Pàdruig Moireasdan

Cast out the lifeline,
with our world so in need –
people in crisis, in peril
and the way back so black.

A rope woven in classic metre
an exquisite image full of power,
the sweetest harmony ever heard
amongst the most complete choir.

When we look back on our era,
with a retrospective eye,
what will we make of that legacy
that we bestowed on the world?

Because ours is the voice of our era,
filling poetry and music
that bloomed through the crisis
and expressed life itself.

They questioned our art,
recommended finding new jobs,
but what to do without tuition
and opportunity so scarce?

Though we have the vision
to put words to our pain,
without our work what will be understood
of this time and love.

When I get to writing,
my poetry is a lament
my heart bruised and broken
with the thousands of lives lost.

But in originality there is respite,
healing, compassion and collaboration –
and so I wish further creativity
to you who lifted bow and pen.

Cast out the lifeline
when I am in need,
in crisis, in peril
and my way back is black.

A rope woven in classic metre
an exquisite image full of power,
the sweetest harmony ever heard
amongst the most complete choir.

This song was written for a tune by Pàdruig Morrison, which was written for the voice of Ainsley Hamill. She sang it as part of our online extravaganza, Ocaidich, *in December, 2020.*

Polaris

Às dèidh Marcha dos Pelegríns

Do na h-Albannaich Nuadh

Is tèarmann ar dùthaich 's e aig crìoch na cruinne,
is teàrmann ar dùthaich 's sinn fo iùilean na bàrr-rèile.

Sìos na seachd sligheachan, ruigidh iad ar tìr,
sìos na seachd sligheachan, 's iad nan eilthirich.

Is tèarmann ar dùthaich 's e aig crìoch na cruinne,
an crisne na cathrach mar dh'aithnichear Dùn Èideann.

Sìos na seachd sligheachan ruigidh iad ar tìr,
sìos na seachd sligheachan, 's iad nan eilthirich.

Ban-tighearna sluagh-fhlaitheis beò an seo an Alba,
far an tig clann-daonna, loma-làn de dh'aighear.

Rinn mi ath-sgrìobhadh air an òran thraidiseanta Galician Marcha dos Pelgríns airson fàilte a chur air na h-Albannaich ùra a bhios a' dèanamh Alba nan dachaigh, bliadhna às deidh bliadhna.

Marchа dos Pelegríns

Traditional Galician

Hai un paraiso nos confíns da terra,
hai un paraiso ao que guian as estrelas.

Por sete camiños chegan ata aquí,
por sete camiños, son os pelegríns.

Hai un paraiso nos confíns da terra,
e a cidade santa chamase Compostela.

Por sete camiños chegan ata aquí,
por sete camiños, son os pelegríns.

Meu Señor Santiago que estás en Galicia,
dende todo o mundo veñen con ledicia.

I re-wrote the traditional Galician song Marcha dos Pelgríns to welcome the new Scots who make Scotland their home, year after year.

Полярна Зірка
Переклад: Бовдир Максим

На честь Marcha dos Pelegríns

Для Нових Шотландців

Наша країна – це святилище на краю світу, наша країна – це святилище і ми керуємося небесною зіркою.

Сімома стежками, вони досягають нашої землі, сімома стежками вони - переселенці.

Наша країна є святинею на краю світу, у священному місті, відомому як Единбург.

Сімома стежками, вони досягають нашої землі, сімома стежками вони -переселенці.

Богоматір Демократії знаходиться тут, в Шотландії, де людство приходить разом у радості.

Fàidh

Às dèidh 'The Gaelic Crisis'
air a dheasachadh leis an Àrd-oll. Conchúr Ó Giollagáin, et al.

Air fhonn le Pàdruig Moireasdan

Nì dùd do chàir
sgapadh eun is fhiadh
's iad fo iomagain crònan cuibhl'.
Tha brag do dhorais
mar sgàl nan trombaid is drum'.
Ò, nach buidhe dhuinn 's tu còmhla ruinn?

Bha i beò
ro do theachd anns an sgìr',
ach 's an tìr bheir dhi deò a-rithist.

Tha a freumh
anns an fhearann 's sna glinn.
B' iad a tèarmann o là nan linn.

Ach, 's tu tha cinnteach
às do mhodhan is dòighean.
Ach, an èist tu ris a' bhuille-chridhe?

Cùm do chluas rithe.
'S i bha maireann tro thìm,
mus do nochd am fàidh ùr air tìr.

Taigh geal air mhàl,
bha cho falamh fad bliadhn'
gun ach tadhail taibhse air an lèan.
Àit' ùr air thogail
air clachan-bhuinn an taighe-dhuibh,
nì falach fhianais eadar sinn is leus.

'S aithne dhomh
gur mòr d' fhoghlam is fios,
ach, an èist thu ris ar guthan fhèin?

Chan e do leabhar
bheir dhuinn comhairle is stiùir,
ach a ghlèidheadh gliocas an t-sluaigh.

Ach, 's tu tha cinnteach
às do mhodhan is dòighean,
gun diù èisteachd ri buille-chridhe.

Cho bodhar roimhpe.
B' fheàrr leat na th' agad ri ràdh,
a chur ron chuideachd, fhàidh ùir air tìr.

Prophet

After 'The Gaelic Crisis'
edited by Prof. Conchúr Ó Giollagáin, et al.

Set to music by Pàdruig Morrison

The horn of your car
scatters birds and deer,
perturbed by the groaning wheel.
The bang of your door,
like trumpet fanfare and drums.
Aren't we lucky to have you with us?

She has lived
long before your arrival here,
but her spark of life is the soil's to give.

Her root
is in the plains and the glens,
which were her haven since the dawn of time.

You are certain
of your methods and manners,
but do you listen to the heartbeat?

Keep your ear to it.
It has lasted through time,
before the new prophet washed ashore.

A white house for rent,
which has been empty all year
but for the ghost that haunts the meadow.
A new place, built
on black-house foundations
yet all evidence hidden on the horizon.

I know
of your great education and knowledge,
but do you listen to our voices?

Your book
is not what must advise us or lead,
yet might preserve the wisdom of a community.

But you are certain
of your methods and manners,
don't care to listen to a heartbeat.

You are deaf to it.
Prefer to put your own words before
those gathered, new prophet, washed ashore.

Frac-coille

Às dèidh Uilleim Nèill
agus Gilbert Márkus

Fad nan linntean,
tha eòlaichean air innse
gur ann co-shìnte,
bhon iar is gun ear,
a bha gach sruth.

An fhairge,
gun ach aon sheòladh,
a' tràigheadh a murachdair,
na curach, cruinn, slàn.

San là an-diugh,
's ann gu lèir a thuigear
mar fhrac-coille i –

Meangan a bhris sgobagan
a-mach, air tìrean
cròdhte leis a' chuain.

Guidheamaid fhathast,
gur fada is farsaing
a shaorar a suail.

Dìreach mar a thòisich an co-cruinneachadh seo tha mi gur fàgail leis na gibhtean seo, air an tràigheadh leis an làn. Buinidh a' Ghàidhlig do mhuinntir na h-Alba air fad am bi sinn a' fuireach ann an coimhearsnachdan dùthchasach no bailteil, mar na mion-chànanan ***uile***

Flotsom

After William Neill
agus Gilbert Márkus

Down the generations,
experts have told
of every flow, extending
one-directional,
west to east.

The sea,
only once sailed,
beaching its riches,
as a coracle,
spherical, neat and intact.

Nowadays,
we see this flotsam
for what it was –

Fractured branches
taking root,
on lands enclosed
by the waters.

We pray still,
that far and wide,
the swell will be freed.

Just as this collection began I leave you with these gifts, beached by the tide. Gaelic belongs to all of Scotland whether we live in vernacular or urban communities, just like all our indigenous languages.

Aideachaidhean

Bu mhath leam taing a thoirt don luchd-deasachaidh a dh'fhoillsich feadhainn de na dàin seo ann am *Brain of Forgetting, Dàna, Northwords Now, Southlight,* agus *The Scores.*

Cuideachd do Cheòl is Craic, Cruinneachadh Hampden, Fèisean nan Gàidheal, Foras na Gaeilge, Leabharlann Nàiseanta na Alba is The Nevis Ensemble a thug seachad coimiseanan son corrs dàn a chruthachadh.

Chaidh ‘` 7 ´ (‘` *&* ´’) is ‘Nua-bhàrdachd’ agus an t-eadar-theangachadh aig Stuart A. Paterson, ‘Modren Poetry’, fhoillseachadh ann am *beul-fo-bhonn / heelster-gowdie* le Tapsalterie ann an 2017.

Chaidh ‘Ann an Tasglann Sgoil Eòlas na h-Alba’ (‘In The Archives of the School of Scottish Studies’) fhoillseachadh anns *The Darg* air a dheasachadh le Jim Mackintosh airson The Poets' Republic Press ann an 2019

Chaidh ‘Smior Fhiaclan’ (‘The Quick of Teeth’) fhoillseachadh ann an *Dead Guid Scots* air a dheasachadh le Hugh McMillan is Hugh Bryden airson Roncadora Press ann an 2021.

Chaidh ‘Dìleab an Stoirm’ (‘The Legacy of the Storm’) fhoillseachadh ann am *Beyond the Swelkie* air a dheasachadh le Jim Mackintosh airson Tippermuir Books ann an 2021.

Bu mhath leam taing a thoirt do gach duine a chùm taic rium – gu dearbh, tha mi cho taingeil is gu bheil an uimhir dhuibh ann, nach urrainn dhomh ur n-ainmeachadh.

Gidheadh, feumaidh mi taing shònraichte a thoirt do dh'Peter Burnett agus Ambrose Kelly aig Leamington Books, airson a bhith a' creidsinn sa phròiseact seo.

Taing cuideachd do na h-eadar-theangachairean is do Ghillbrìde MacIlleMhaoil is Ben Ó Ceallaigh.

Gaol do Mham, Dad, is Iosua, gu sìorraidh bràth.

Suas leis a' Ghàidhlig!

Marcas

Acknowledgements

I would like to thank the editors that published some of these poems *Brain of Forgetting, Dàna, Northwords Now, Southlight,* and *The Scores.*

Likewise, to Ceòl is Craic, Fèisean nan Gàidheal, Foras na Gaeilge, The Hampden Collection, The National Library of Scotland and The Nevis Ensemble who commissionned the creation of a number of these works.

` 7 ´ (‘` er ´’) and ‘Nua-bhàrdachd’ and Stuart A. Paterson’s translation, ‘Modren Poetry’, were published in *beul-fo-bhonn / heelster-gowdie* by Tapsalterie in 2017.

‘Ann an Tasglann Sgoil Eòlas na h-Alba’ (‘In The Archives of the School of Scottish Studies’) was published in *The Darg* edited by Jim Mackintosh for The Poets’ Republic Press in 2019.

‘Smior Fhiaclan’ (‘The Quick of Teeth’) was published in *Dead Guid Scots* edited by Hugh McMillan and Hugh Bryden for Roncadora Press in 2021.

‘Dìleab an Stoirm’ (‘The Legacy of the Storm’) was published in *Beyond the Swelkie edited by* Jim Mackintosh for Tippermuir Books in 2021.

I’d like to thank everyone who has supported me – in fact, I am so thankful that there are so many of you it’s impossible to name you all.

However, I must give special thanks to Peter Burnett and Ambrose Kelly of Leamington Books, for believing in this project.

Thanks also to the translators and to Gillebrìde MacIlleMhaoil and Ben Ó Ceallaigh.

Love to Mum, Dad, and Joshua, always.

Suas leis a’ Ghàidhlig!

Marcas

Tuilleadh aig Marcas Mac an Tuairneir

Books

Deò, 2013, Grace Note Publications

Lus na Tùise, 2016 with a new expanded edition forthcoming from Evertype

Dùileach, 2021, Evertype

Cruinneachadh, 2022, Drunk Muse Press

Music

Speactram, 2022, Watercolour Music